ENGLISH - CHINESE

英语—汉语

STAR CHILDREN'S PICTURE DICTIONARY

Editor

Babita Varma

STAR CHILDREN'S PICTURE DICTIONARY

Varma, Babita (Editor)

Published by :

STAR PUBLICATIONS PVT. LTD.
Asaf Ali Road, New Delhi-110002 (INDIA)
email : starpub@satyam.net.in

This Edition : 2008

ISBN : 81-7650-207-3

THIS DICTIONARY
has been published in Arabic, Bengali, Chinese, Croation, Danish, Farsi, Gujarati, Hindi, Vietnamese, Malayalam, Norwegian, Punjabi, Portuguese, Somali, Spanish, Tamil, Turkish and Urdu. Other languages are in press.

To
Children of all ages;
whatever language
they speak.

FROM THE PUBLISHERS :

This unique colourful dictionary was first published in 1993, and was brought out in sololingual, bilingual and trilingual editions. Within a span of three years we could publish it in about 32 major languages of the world, and the Dictionary was acclaimed as one of the best pictorial dictionaries to teach various languages-not only to young children but also to those foreigners who wish to learn another language. It was acknowledged as a source to build wordpower and stimulate learning, specially among children.

However, on the basis of various suggestions received since its publication, the Editor decided to revise the whole dictionary by adding many new words and illustrations, as also changing the style. We are now pleased to present this dictionary with a new format. This dictionary now consists of over 1,000 words and colourful illustrations, which have been catagorised in 12 popular subjects. In case of bilingual editions, each word has been translated into the other language, and transliterated where necessary.

We are confident that readers will find this dictionary as a very useful presentation which will encourage browsing, and make learning fun for the young and old alike. Since this dictionary has been published in several languages of the world, it will be found as a timely contribution to multilingualism and multiculturalism.

INDEX

	A a	B b	C c	D d	
	E e	F f	G g	H h	
	I i	J j	K k	L l	
	M m	N n	O o	P p	
	Q q	R r	S s	T t	
	U u	V v	W w	X x	
		Y y	Z z		

NUMBERS 数字 shùzì

0	zero 零	líng
1	one 一	yī
2	two 二	èr
3	three 三	sān
4	four 四	sì
5	five 五	wǔ
6	six 六	liù
7	seven 七	qī
8	eight 八	bā
9	nine 九	jiǔ
10	ten 十	shí

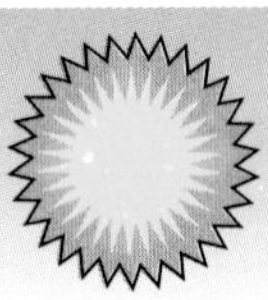

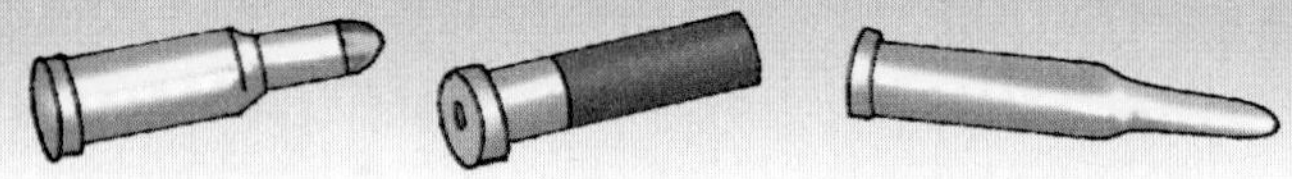

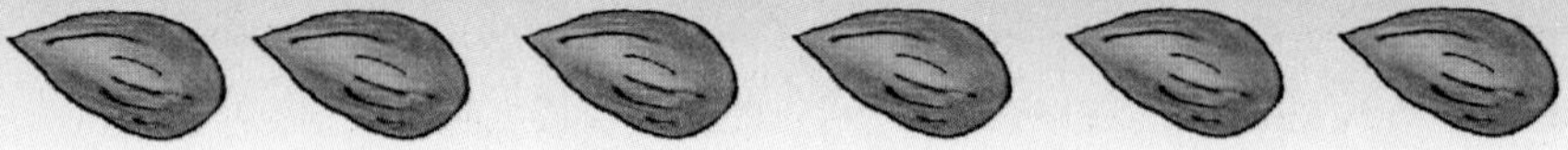

ANIMALS, BIRDS AND OTHER LIVING CREATURES

兽类，鸟类和其他动物

shòulèi, niǎolèi hé qítā dòngwù

ant
蚂蚁
mǎyǐ
bee
蜂
fēng
ape
猴子
hóuzi
bird
鸟
niǎo
bat
蝙蝠
biānfú
bison
野牛
yěniú
bear
熊
xióng
buffalo
水牛
shuǐniú
beetle
蜣螂
qiāngláng
bull
公牛
gōngniú

bustard
鸨
bǎo

butterfly
蝴蝶
húdié

calf
牛犊
niúdú

camel
骆驼
luòtuo

cat
猫
māo

caterpillar
毛虫
máochóng

centipede
蜈蚣
wúgōng

cheetah
猎豹
lièbào

chicken
鸡雏
jīchú

chimpanzee
黑猩猩
hēixīngxing

cobra
眼镜蛇
yǎnjìngshé

crocodile
鳄鱼
èyú

cock
公鸡
gōngjī

crow
乌鸦
wūyā

cockroach
蟑螂
zhāngláng

cuckoo
夜莺
yèyīng

cow
奶牛
nǎiniú

deer
鹿
lù

crab
螃蟹
pángxiè

dinosaur
恐龙
kǒnglóng

dog
狗
gǒu

dolphin
海豚
hǎitún

donkey
驴
lǘ

duck
鸭
yā

eagle
鹰
yīng

eel
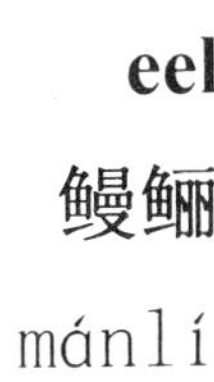
鳗鲡
mánlí

earthworm
蚯蚓
qiūyǐn

elephant
象
xiàng

fish
鱼
yú

flamingo
火烈鸟
huǒlièniǎo

fly
蝇
yíng

fox
狐狸
húli

frog
青蛙
qīngwā

giraffe
长颈鹿
chángjǐnglù

goat
山羊
shānyáng

goose
鹅
é

grasshopper
蚂蚱
màzha

hare
野兔
yětù

hen
母鸡
mǔjī

heron
鹭
lù

hippopotamus
河马
hémǎ

honey-bee
蜜蜂
mìfēng

horse
马
mǎ

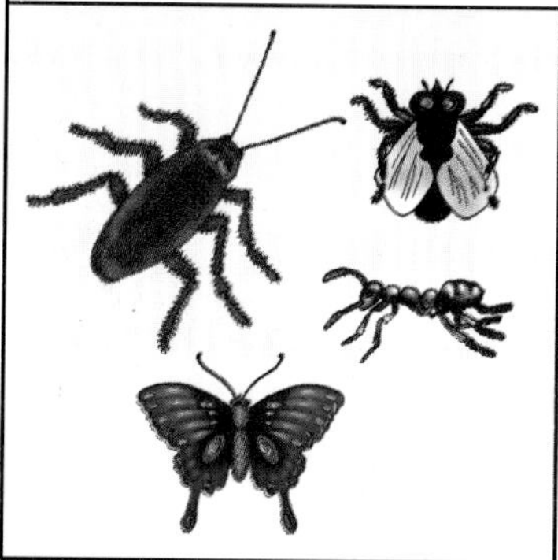

insects
昆虫
kūnchóng

jackal
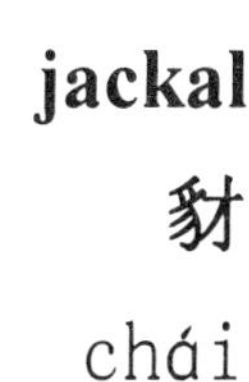
豺
chái

kangaroo
袋鼠
dàishǔ

kiwi
几维鸟
jǐwéiniǎo

ladybird
瓢虫
piáochóng

leopard
豹
bào

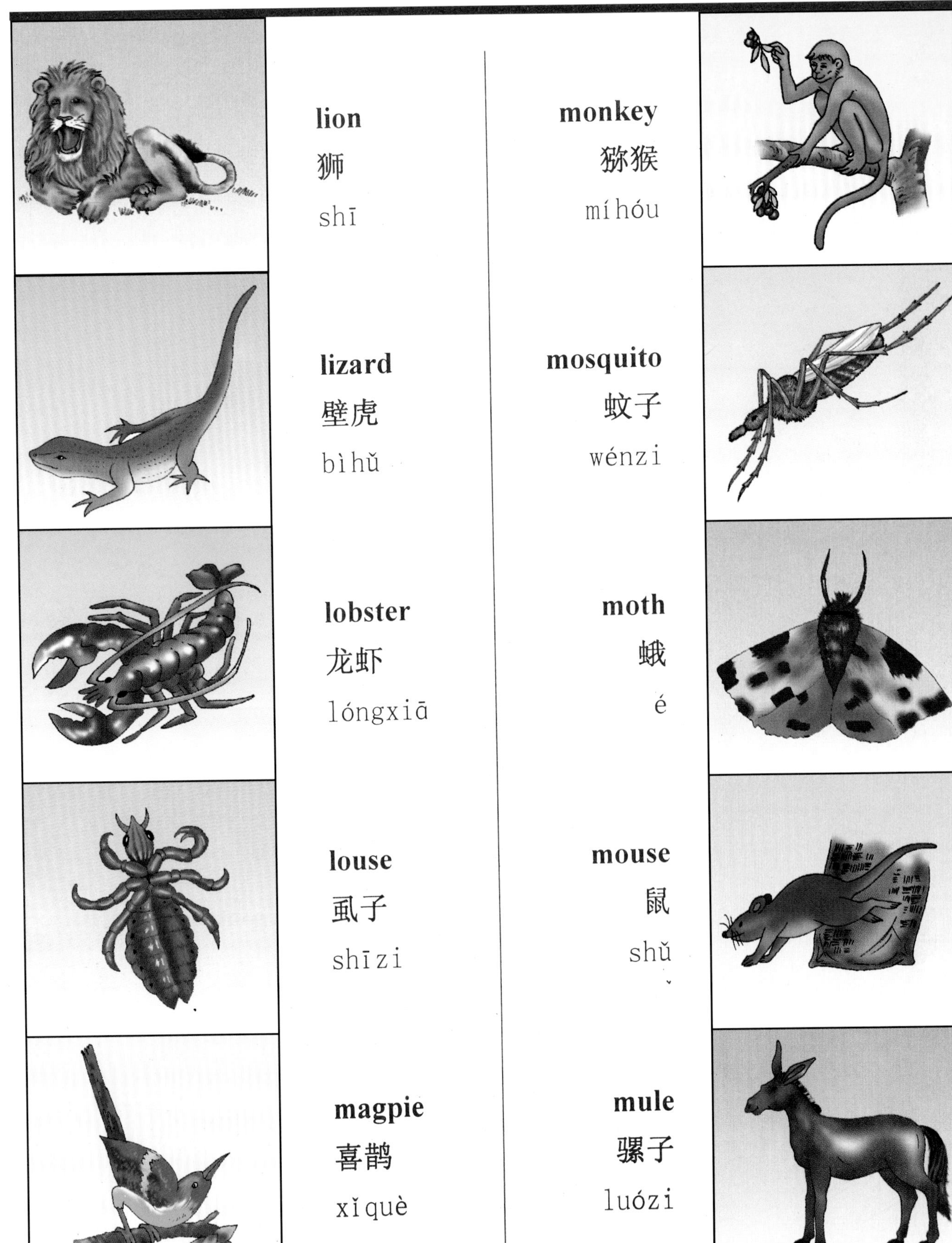
lion
狮
shī
lizard
壁虎
bìhǔ
lobster
龙虾
lóngxiā
louse
虱子
shīzi
magpie
喜鹊
xǐquè
monkey
猕猴
míhóu
mosquito
蚊子
wénzi
moth
蛾
é
mouse
鼠
shǔ
mule
骡子
luózi

myna
鹩哥
liáogē

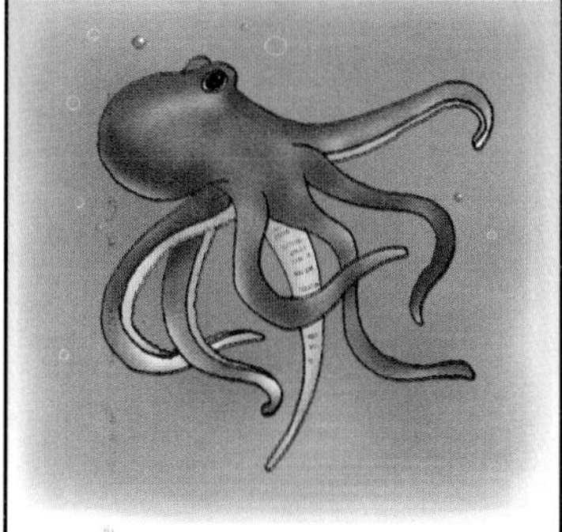

octopus
章鱼
zhāngyú

ostrich
鸵鸟
tuóniǎo

otter
水獭
shuǐtǎ

owl
猫头鹰
māotóuyīng

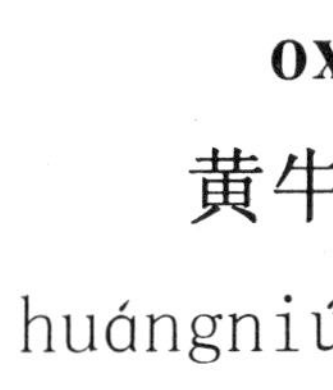

ox
黄牛
huángniú

platypus
鸭嘴兽
yāzuǐshòu

panda
熊猫
xióngmāo

panther
黑豹
hēibào

parrot
鹦鹉
yīngwǔ

peacock
孔雀
kǒngquè

pelican
鹈鹕
tíhú

penguin
企鹅
qǐ'é

puppy
幼犬
yòuquǎn

pigeon
鸽子
gēzi

polar bear
北极熊
běijíxióng

porcupine
豪猪
háozhū

prawn
虾
xiā

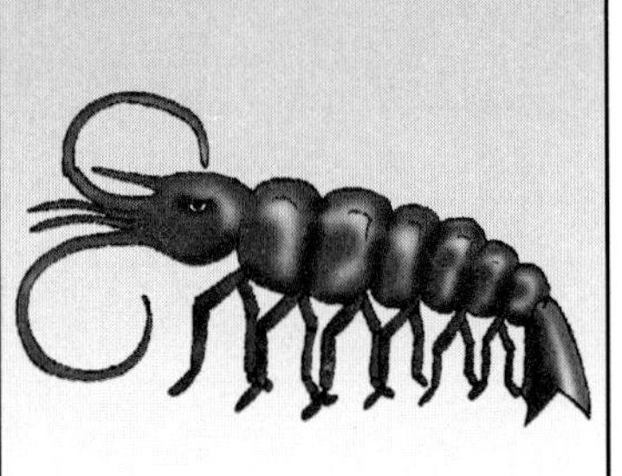

quail
鹌鹑
ānchún

rabbit
家兔
jiātù

rat
耗子
hàozi

rhinoceros
犀牛
xīniú

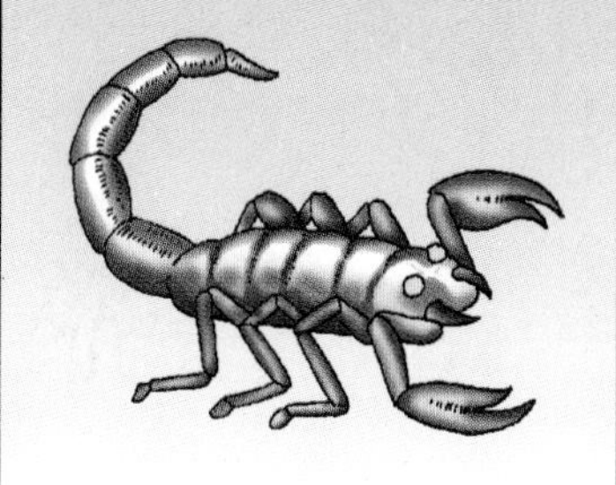

scorpion
蝎子
xiēzi

seal
海豹
hǎibào

shark
鲨鱼
shāyú

sheep
绵羊
miányáng

snake
蛇
shé

sparrow
麻雀
máquè

spider
蜘蛛
zhīzhū

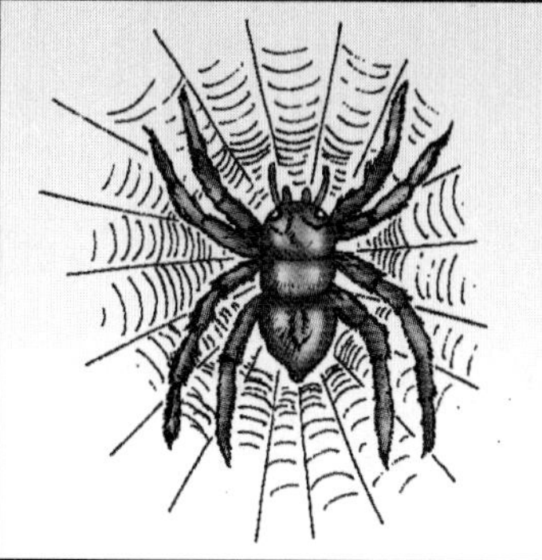

squirrel
松鼠
sōngshǔ

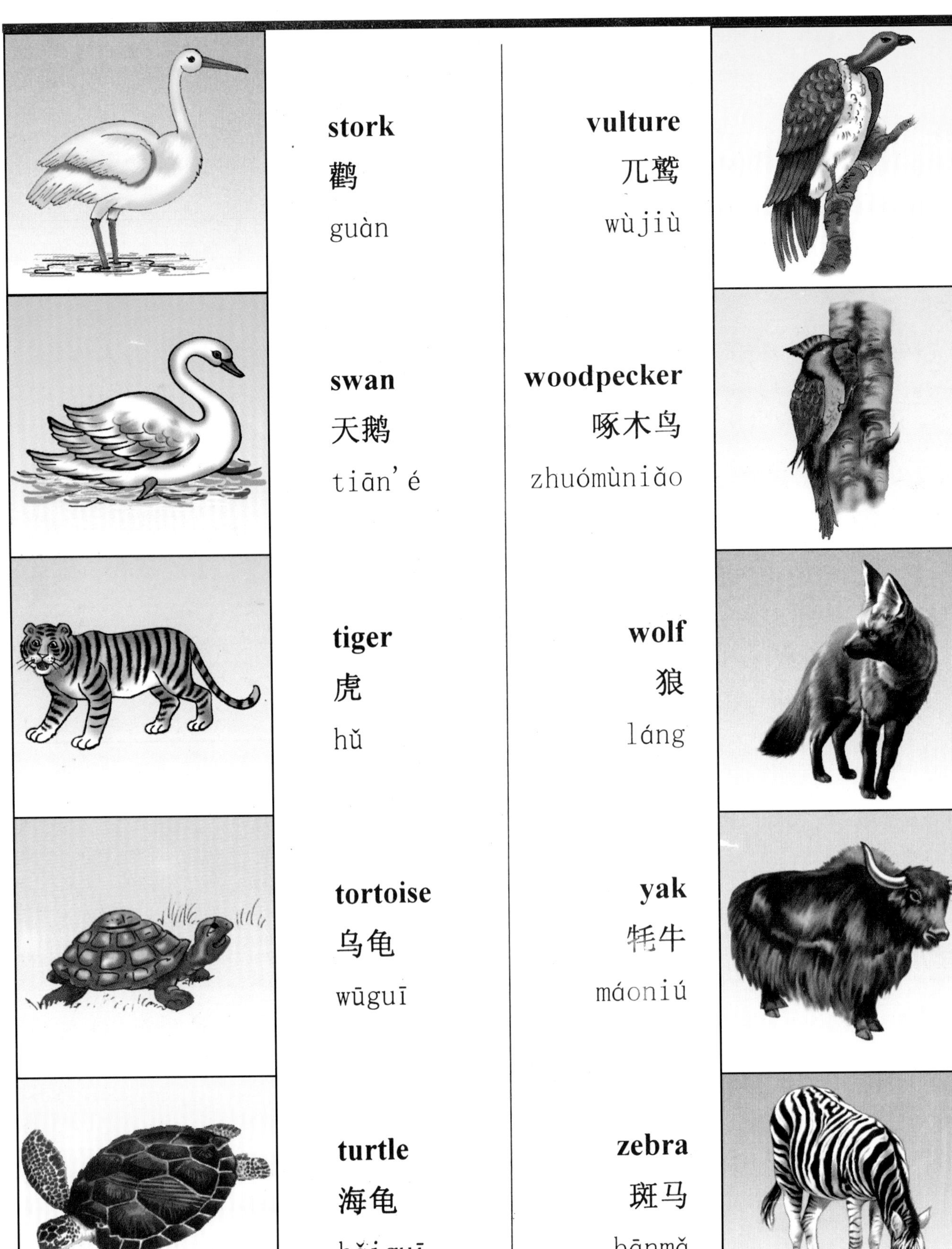
stork
鹳
guàn
vulture
兀鹫
wùjiù
swan
天鹅
tiān’é
woodpecker
啄木鸟
zhuómùniǎo
tiger
虎
hǔ
wolf
狼
láng
tortoise
乌龟
wūguī
yak
牦牛
máoniú
turtle
海龟
hǎiguī
zebra
斑马
bānmǎ
20

FOOD, DRINKS AND OTHER THINGS TO EAT

食品，饮料和其他食物

shípǐn, yǐnliào hé qítā shíwù

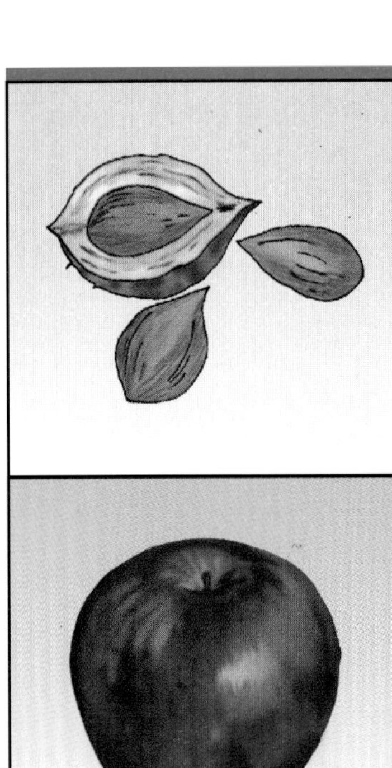

almond
杏仁
xìngrén

apple
苹果
píngguǒ

apricot
杏子
xìngzi

bananas
香蕉
xiāngjiāo

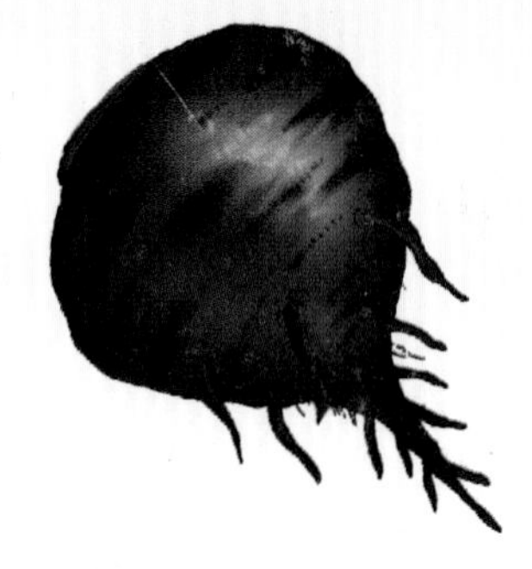

beetroot
甜菜
tiáncài

biscuit

饼干
bǐnggān

bread
面包
miànbāo

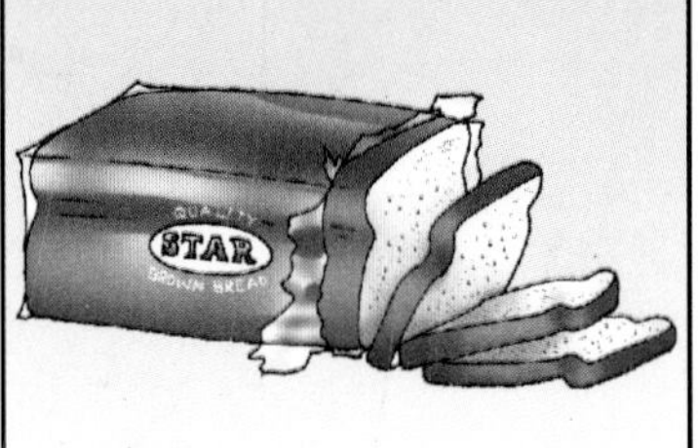

brinjal
茄子
qiézi

butter
黄油
huángyóu

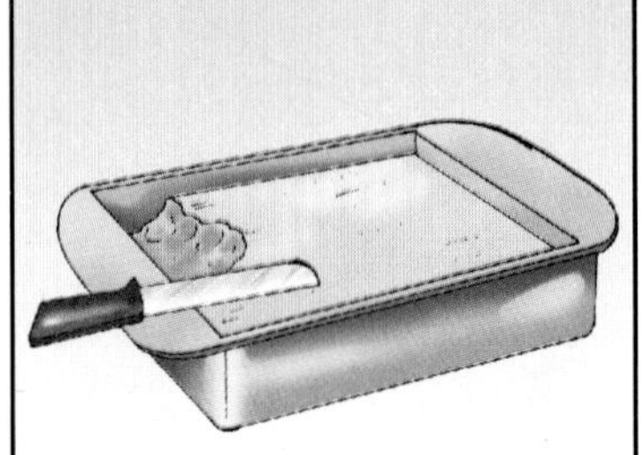

cabbage
卷心菜
juǎnxīncài

cake
蛋糕
dàngāo

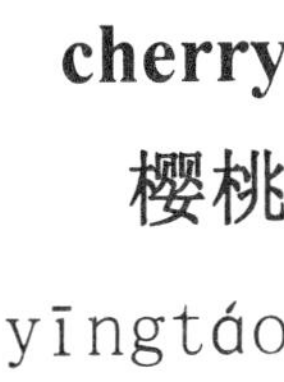

cherry
樱桃
yīngtáo

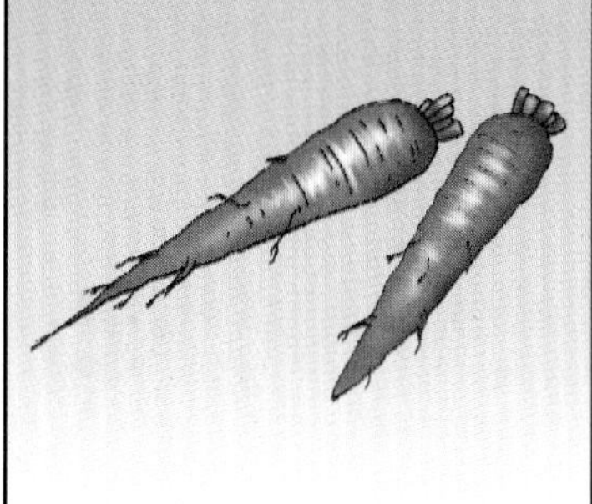

carrot
胡萝卜
húluóbo

chilli
辣椒
làjiāo

cauliflower
菜花
càihuā

chocolate
巧克力
qiǎokèlì

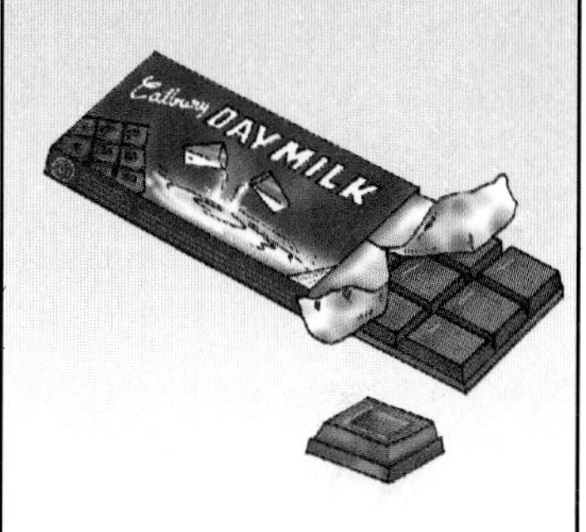

cereal
谷类
gǔlèi

coconut
椰子
yēzi

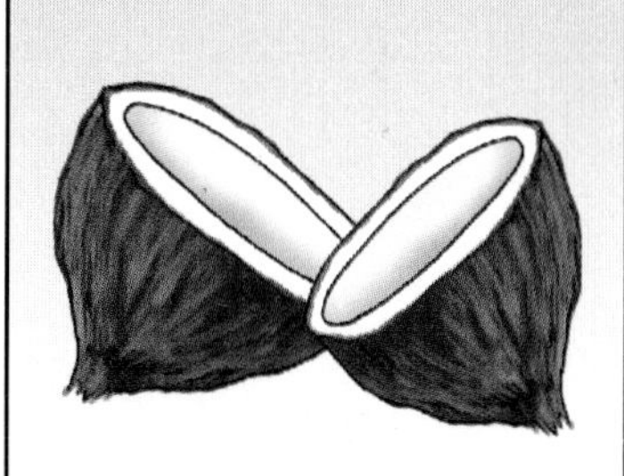

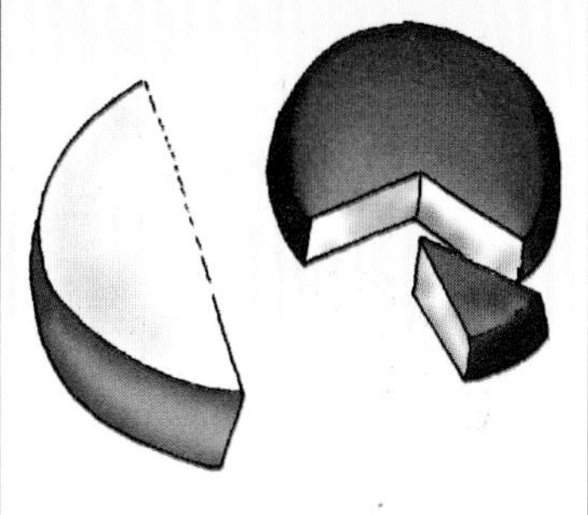

cheese
干酪
gānlào

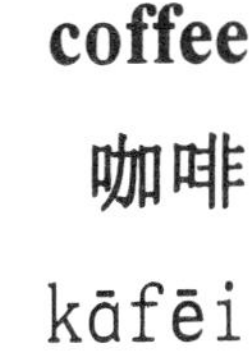

coffee
咖啡
kāfēi

cucumber
黄瓜
huángguā

currants
黑醋栗
hēicùlì

dates
椰枣
yēzǎo

durian
榴莲
liúlián

egg
蛋
dàn

fig
无花果
wúhuāguǒ

fruit
水果
shuǐguǒ

garlic
大蒜
dàsuàn

ginger
生姜
shēngjiāng

grapes
葡萄
pútáo

grapefruit
柚子
yòuzi

jam
果酱
guǒjiàng

guava
番石榴
fānshíliu

jelly
果冻
guǒdòng

honey
蜂蜜
fēngmì

ladyfinger
秋葵
qiūkuí

ice-cream
冰激凌
bīngjīlíng

lemon
柠檬
níngméng

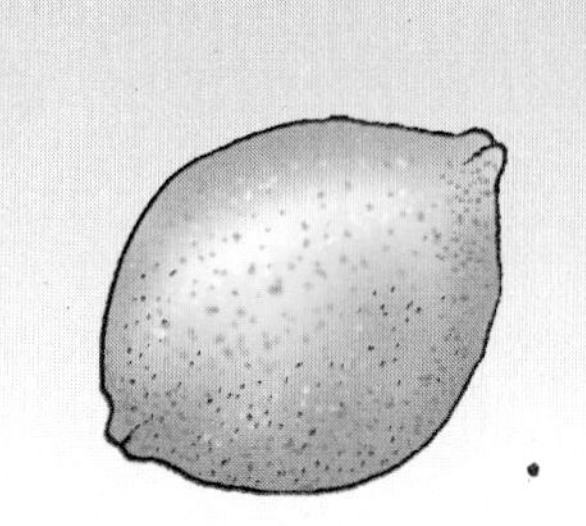

jackfruit
木菠萝
mùbōluó

lettuce
生菜
shēngcài

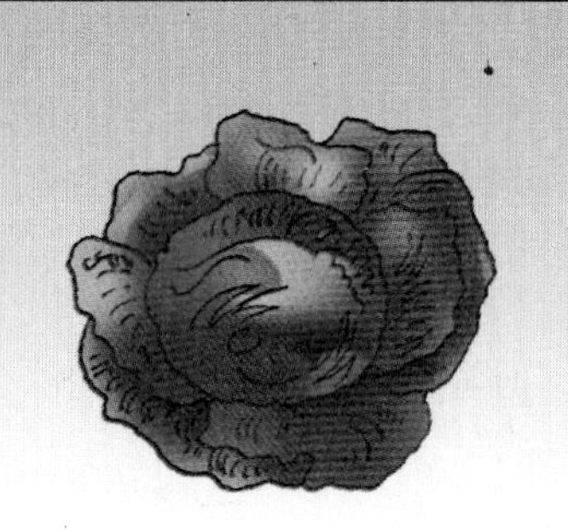

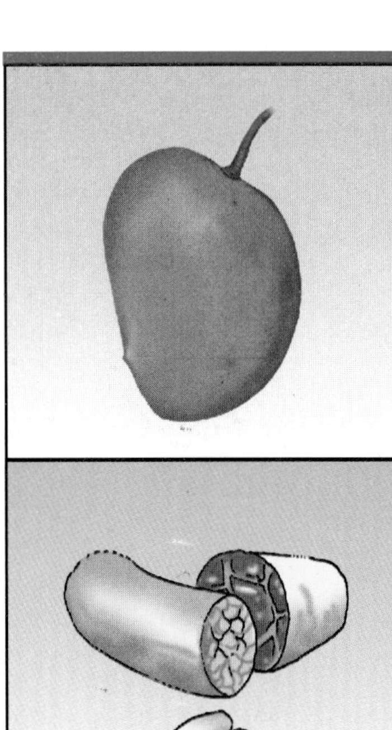

mango
芒果
mángguǒ

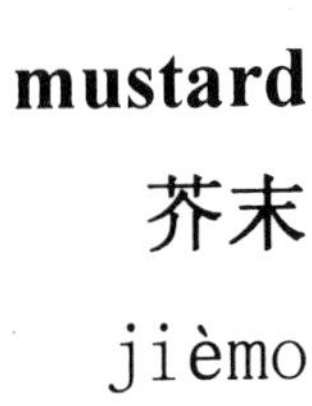

meat
肉
ròu

melon
瓜
guā

milk
奶
nǎi

mushrooms
蘑菇
mógū

mustard
芥末
jièmo

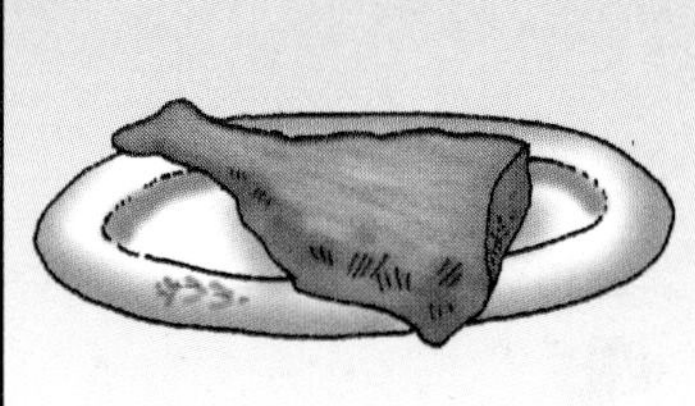

mutton
羊肉
yángròu

orange
橘子
júzi

papaya
木瓜
mùguā

passion fruit
西番莲
xīfānlián

peach
桃
táo

peanuts
花生
huāshēng

pear
梨
lí

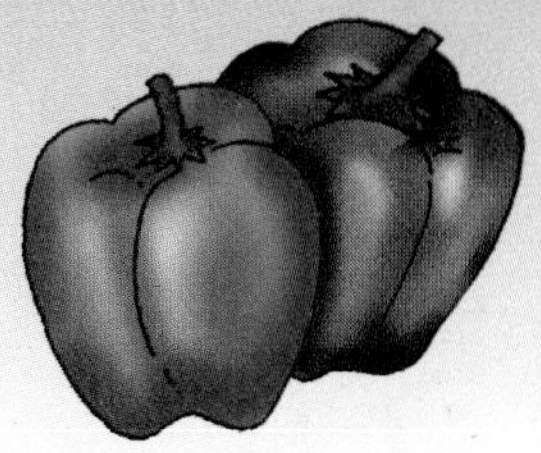

pepper
甜椒
tiánjiāo

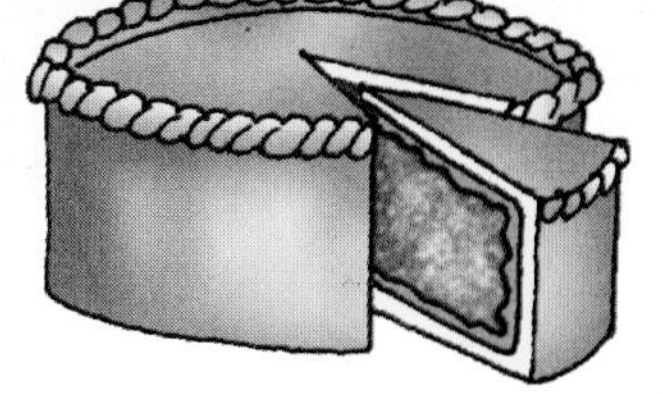

pie
馅饼
xiànbǐng

pineapple
菠萝
bōluó

potatoes
马铃薯
mǎlíngshǔ

pumpkin
南瓜
nánguā

plums
李子
lǐzi

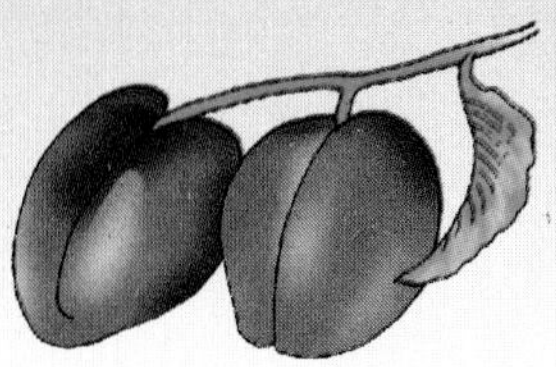

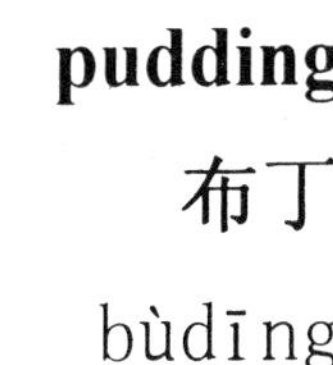

pudding
布丁
bùdīng

radish
萝卜
luóbo

raisins
葡萄干
pútáogān

raspberry
树莓
shùméi

rice
米饭
mǐfàn

salad
沙拉
shālā

salt
盐
yán

sandwich
三明治
sānmíngzhì

sausages
香肠
xiāngcháng

soup
汤
tāng

soyabeans
豆制品
dòuzhìpǐn

spaghetti
细面条
xì miàntiáo

spinach
菠菜
bōcài

strawberry
草莓
cǎoméi

starfruit
星星果
xīngxīngguǒ

sugar
糖
táng

sweet potatoes
甘薯
gānshǔ

sweets
糖果
tángguǒ

sweetcorn
甜玉米
tián yùmǐ

syrup
果子露
guǒzilù

tea
茶
chá

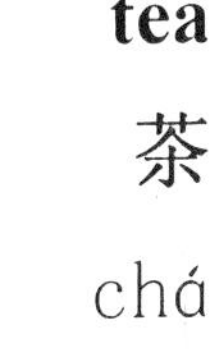

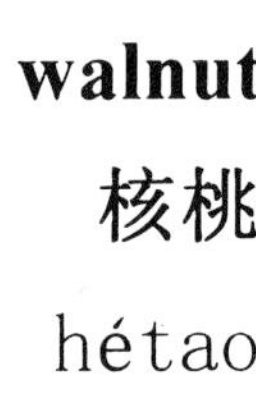

toast
吐司
tǔsī

toffee
奶糖
nǎitáng

tomato
番茄
fānqié

turnip
蔓菁
mánjīng

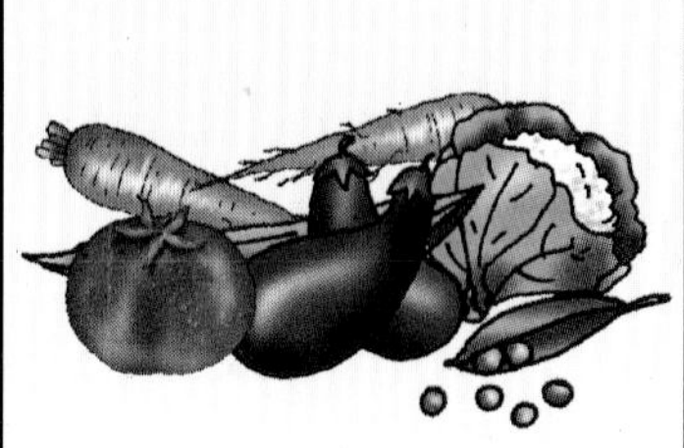

vegetables
蔬菜
shūcài

walnut
核桃
hétao

water
水
shuǐ

watermelon
西瓜
xīguā

wheat
小麦
xiǎomài

yoghurt
酸奶
suānnǎi

HOME

家

jiā

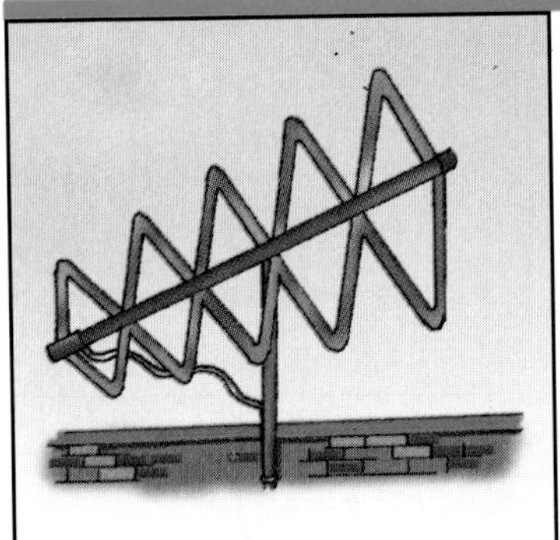

antenna
天线
tiānxiàn

balcony
阳台
yángtái

basin
洗脸盆
xǐliǎnpén

bathroom
浴室
yùshì

bed
床
chuáng

bedroom
卧室
wòshì

bench
长凳
chángdèng

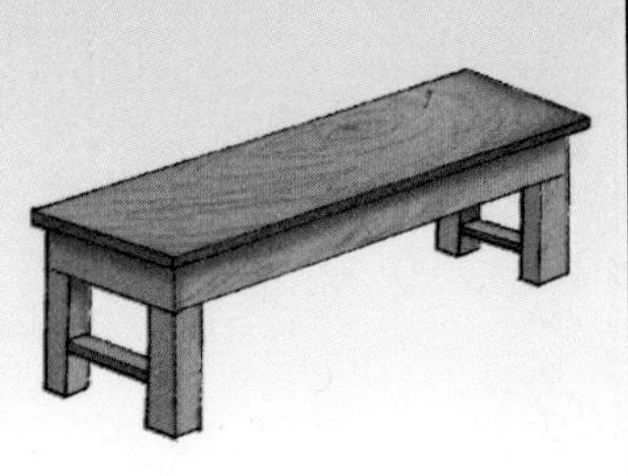

blanket
毯子
tǎnzi

bucket
水桶
shuǐtǒng

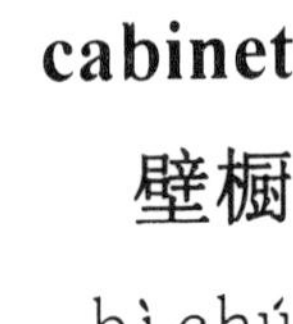

cabinet
壁橱
bìchú

carpet
地毯
dìtǎn

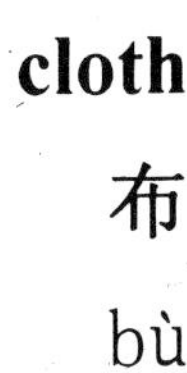

ceiling
天花板
tiānhuābǎn

chair
椅子
yǐzi

chandelier
吊灯
diàodēng

chimney
烟囱
yāncōng

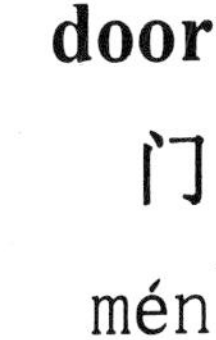

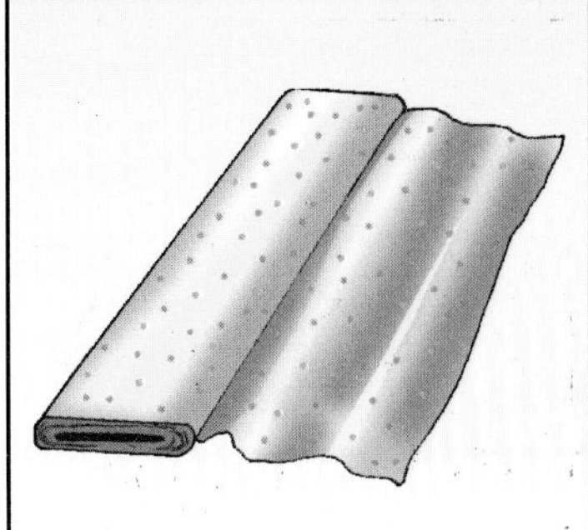

cloth
布
bù

cot
婴儿床
yīng'ér chuáng

cupboard
柜橱
guìchú

curtains
窗帘
chuānglián

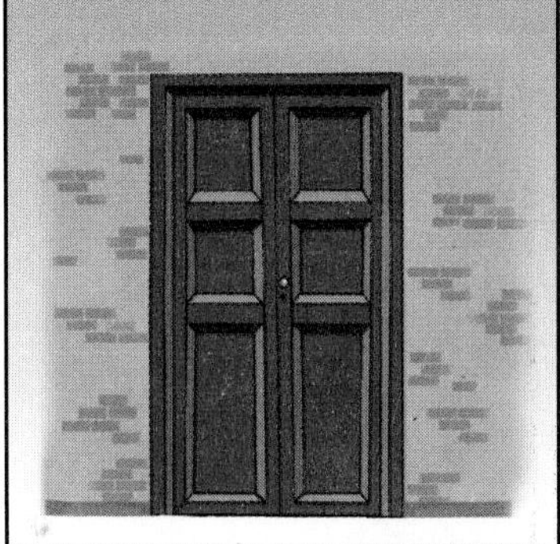

door
门
mén

drain
阴沟
yīngōu

elevator
电梯
diàntī

escalator
自动扶梯
zìdòngfútī

fence
围栏
wéilán

flat
公寓
gōngyù

flower vase
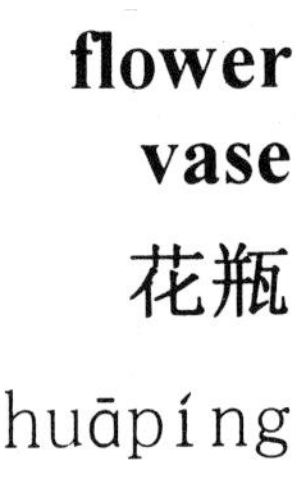
花瓶
huāpíng

foam
海绵垫
hǎimiándiàn

fork
叉子
chāzi

garden
花园
huāyuán

garage
车库
chēkù

gate
大门
dàmén

home
家
jiā

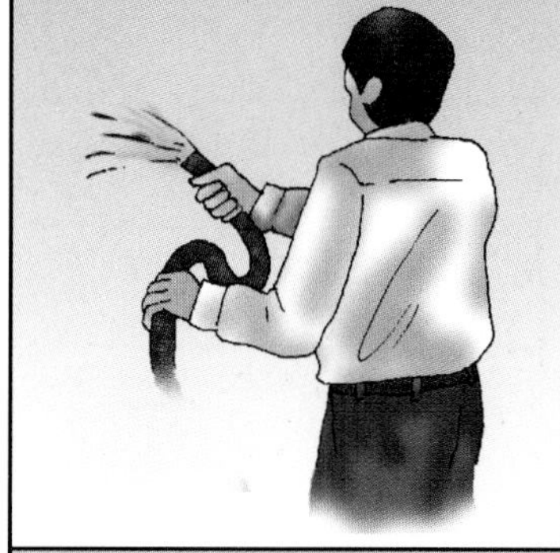

hose
胶皮水管
jiāopíshuǐguǎn

kitchen
厨房
chúfáng

letter-box
信箱
xìnxiāng

mattress
床垫
chuángdiàn

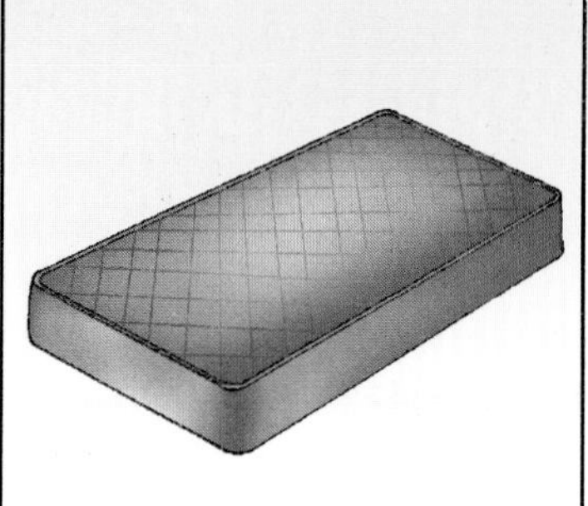

matchbox
火柴
huǒchái

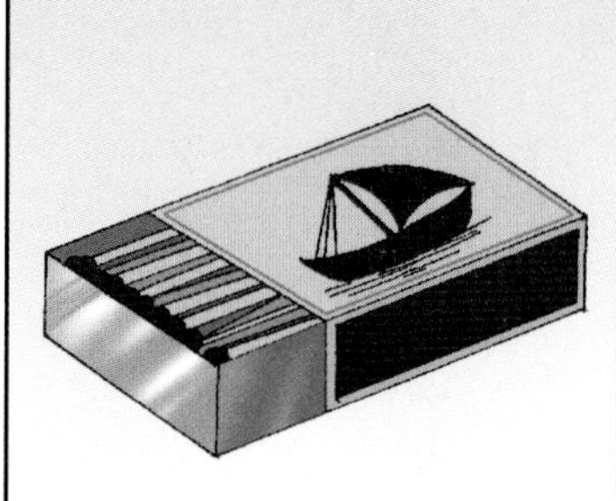

mop
拖把
tuōbǎ

necktie
领带
lǐngdài

oven
烤箱
kǎoxiāng

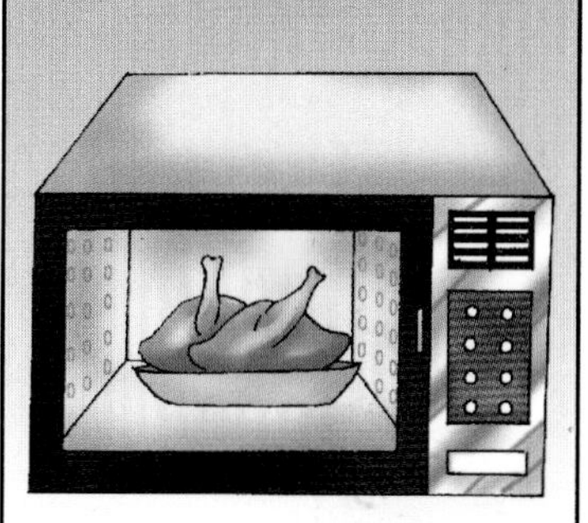

pan
平底锅
píngdǐguō

sewing machine
缝纫机
féngrènjī

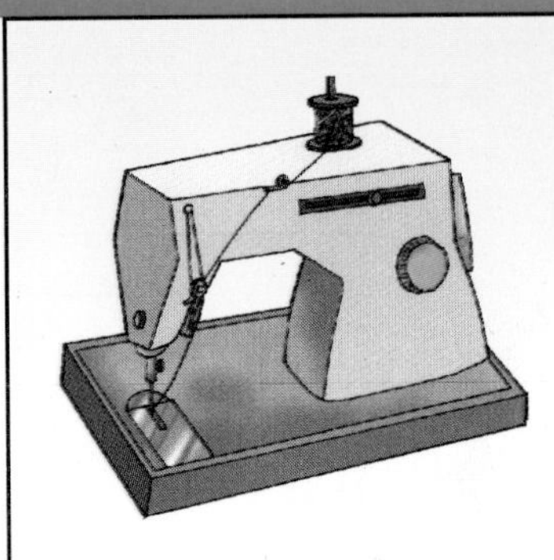

plate
盘子
pánzi

seat
座位
zuòwèi

pram
童车
tóngchē

shelf
书橱/陈列橱
shūchú/chénlièchú

roof
屋顶
wūdǐng

shower
淋浴
línyù

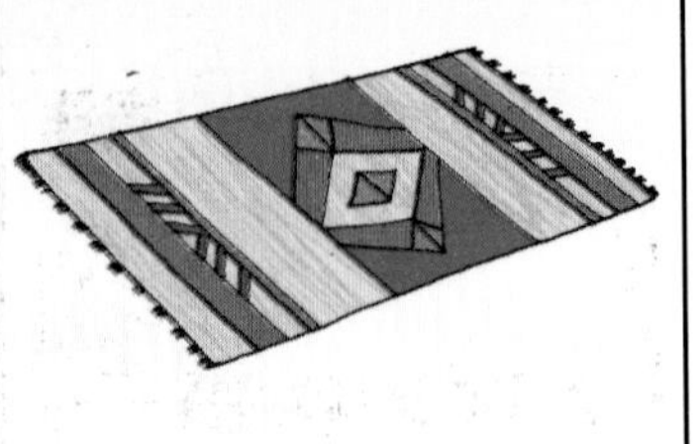

rug
地毯
dìtǎn

sink
洗手池
xǐshǒuchí

smoke
烟
yān

sofa
沙发
shāfā

spanner
扳手
bānshou

stairs/steps
台阶
táijiē

toilet
厕所/马桶
cèsuǒ/mǎtǒng

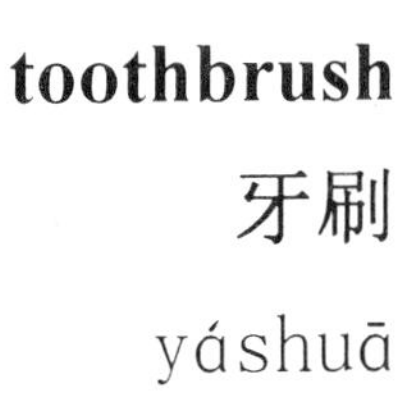

toothbrush
牙刷
yáshuā

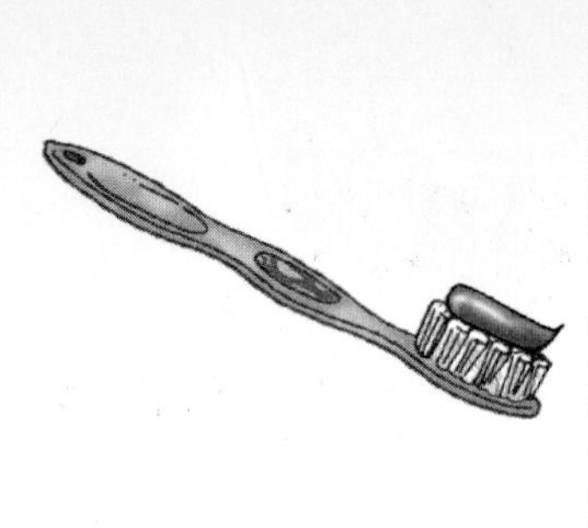

tub
浴缸
yùgāng

wall
墙壁
qiángbì

wardrobe
衣柜
yīguì

window
窗
chuāng

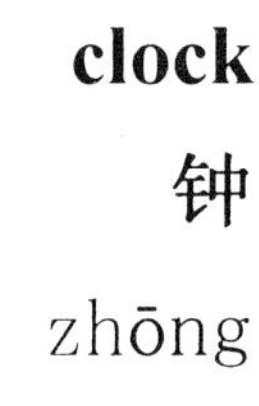

bag
挎包
kuàbāo

clock
钟
zhōng

glass
玻璃杯
bōlibēi

cushion
垫子
diànzi

knife
小刀
xiǎodāo

radio
收音机
shōuyīnjī

refrigerator
电冰箱
diànbīngxiāng

telephone
电话
diànhuà

stove
炉
lú

table
桌子
zhuōzi

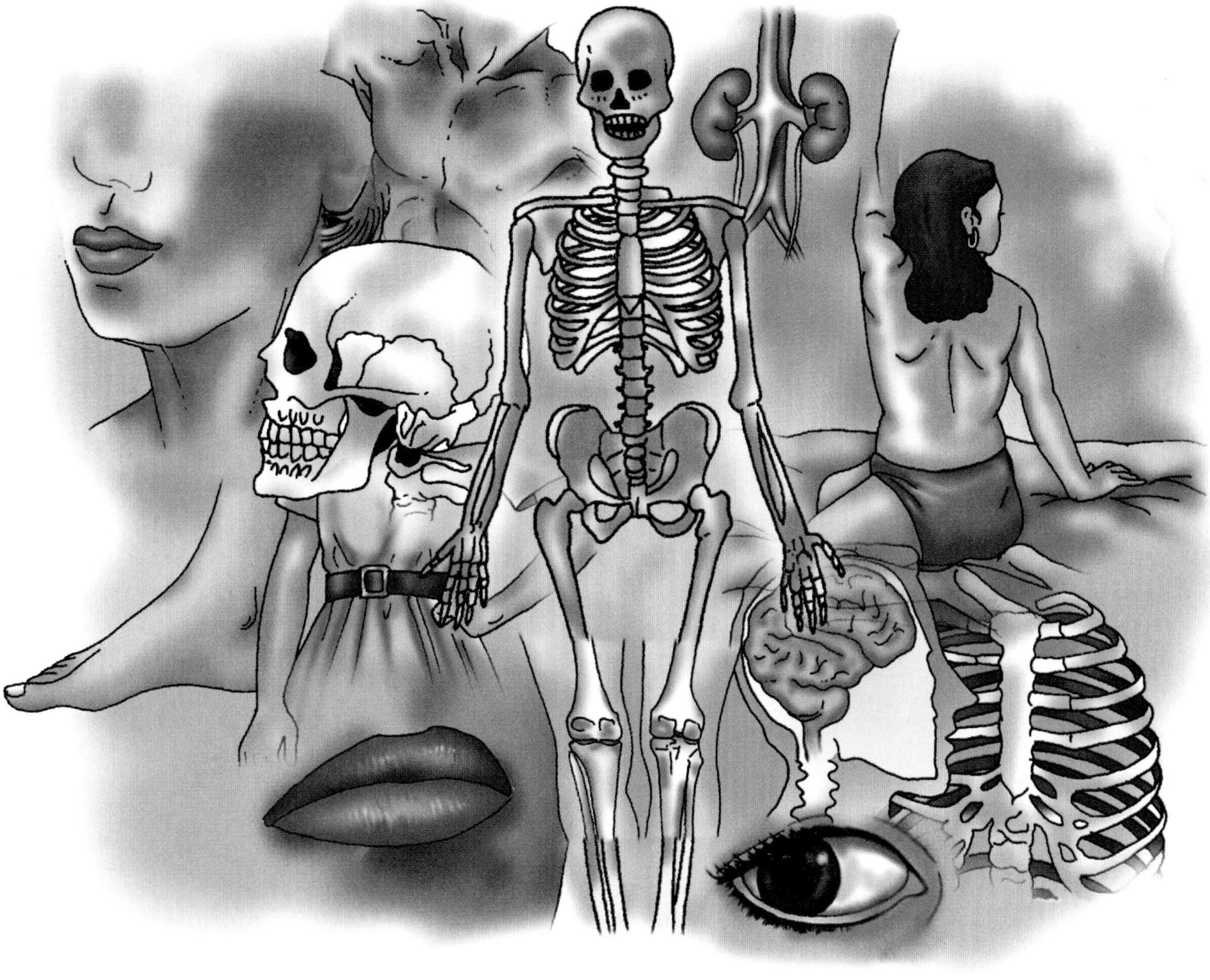

HUMAN BODY

人体

réntǐ

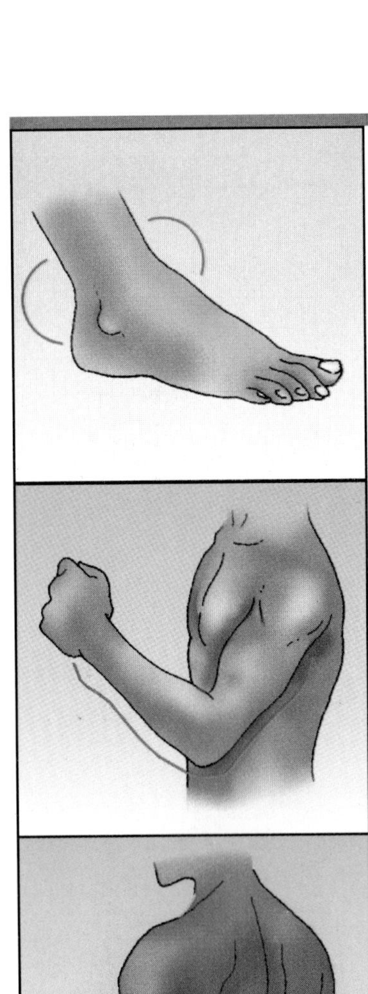

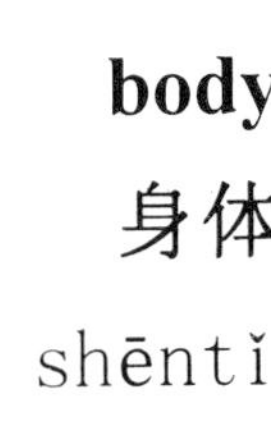

ankle
踝
huái

arm
手臂
shǒubì

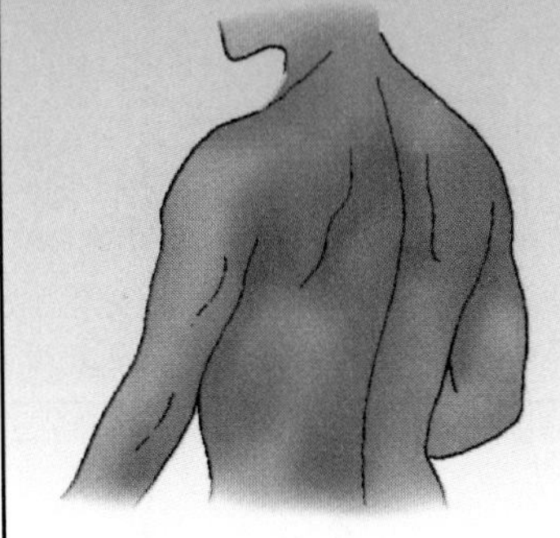

back
背部
bèibù

beard
胡子
húzi

blood
血
xiě

body
身体
shēntǐ

bone
骨
gǔ

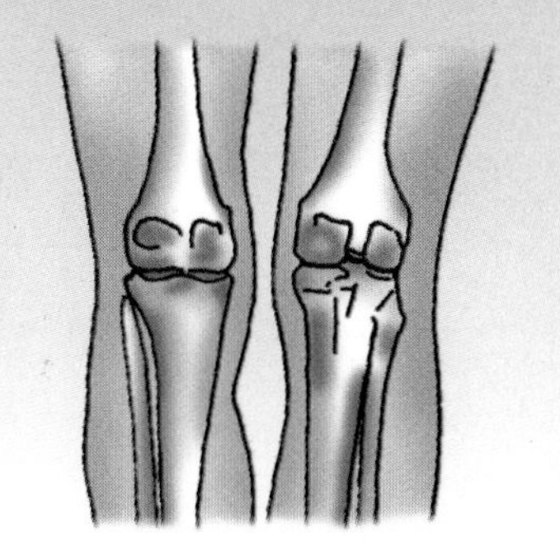

brain
脑
nǎo

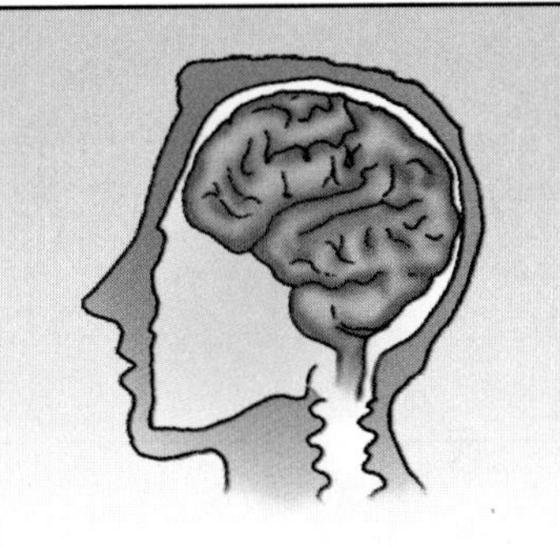

cheek
面颊
miànjiá

chest
胸
xiōng

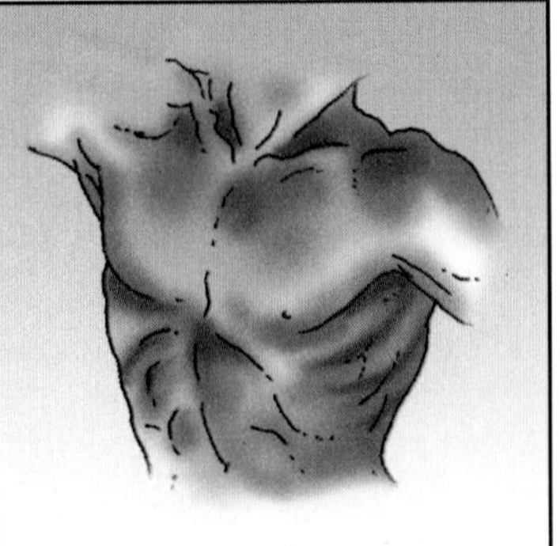

chin
下巴
xiàba

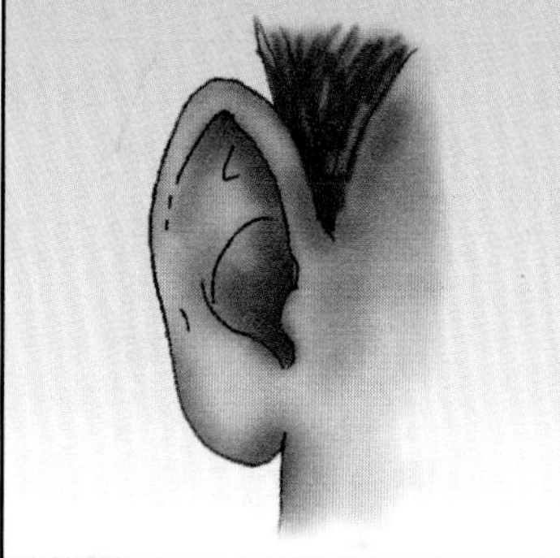

ear
耳
ěr

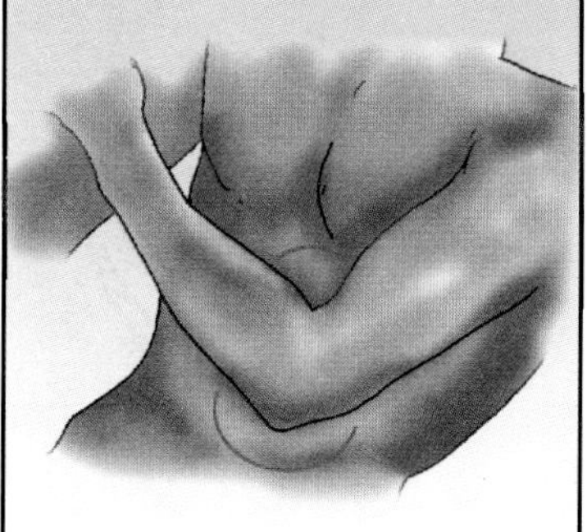

elbow
肘
zhǒu

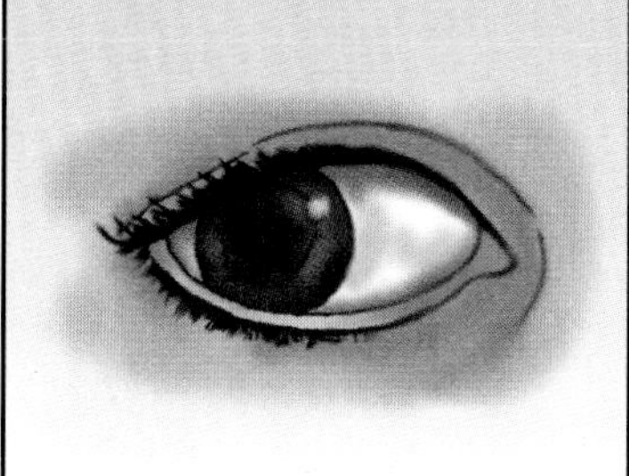

eye
眼睛
yǎnjīng

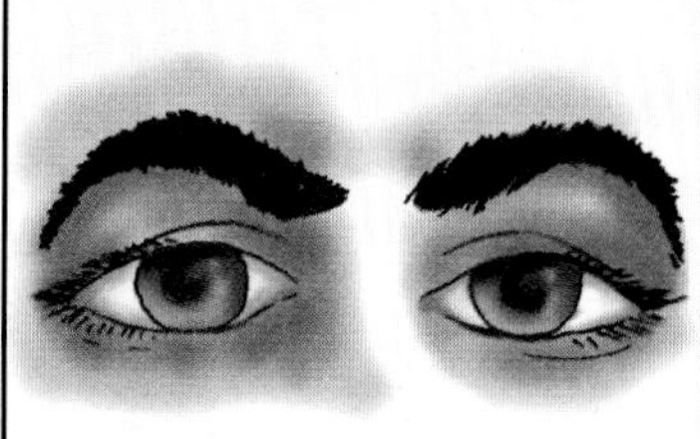

eyebrow
眼眉
yǎnméi

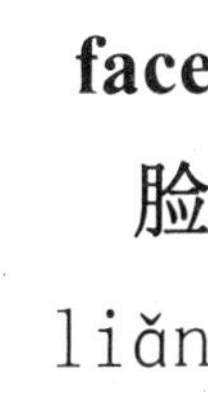

face
脸
liǎn

fingers
手指
shǒuzhǐ

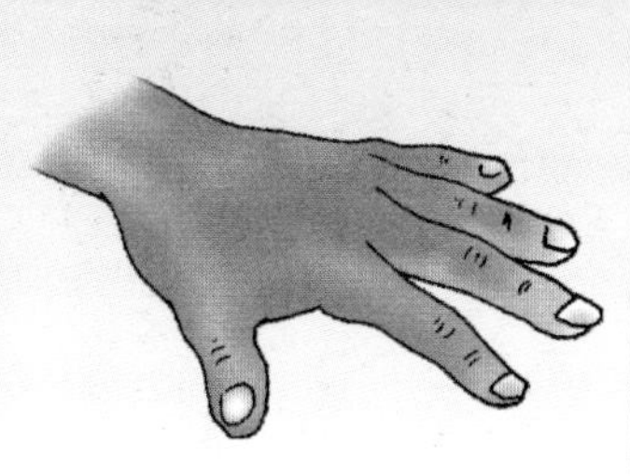

foot
脚
jiǎo

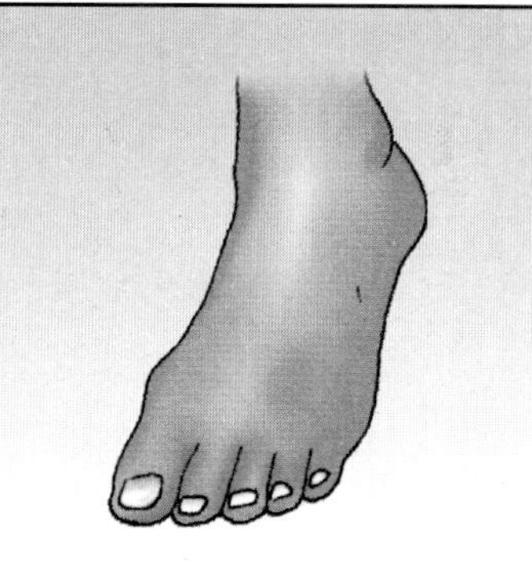

forehead
前额
qiáné

hair
头发
tóufà

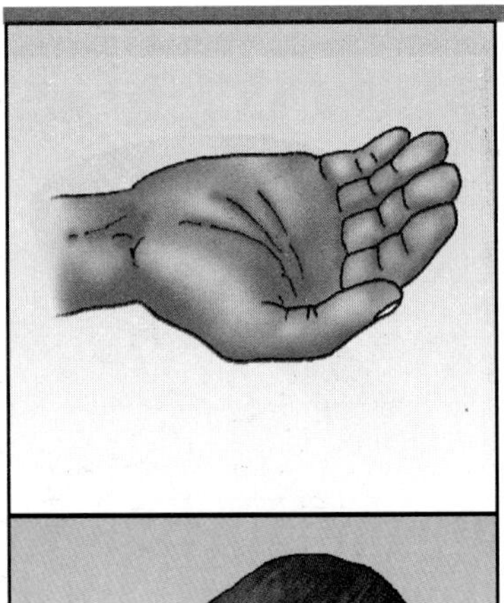

hand
手
shǒu

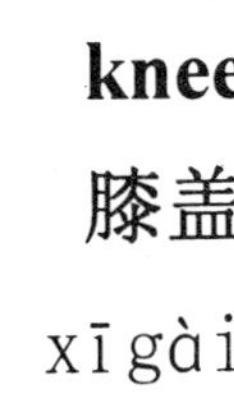

knee
膝盖
xīgài

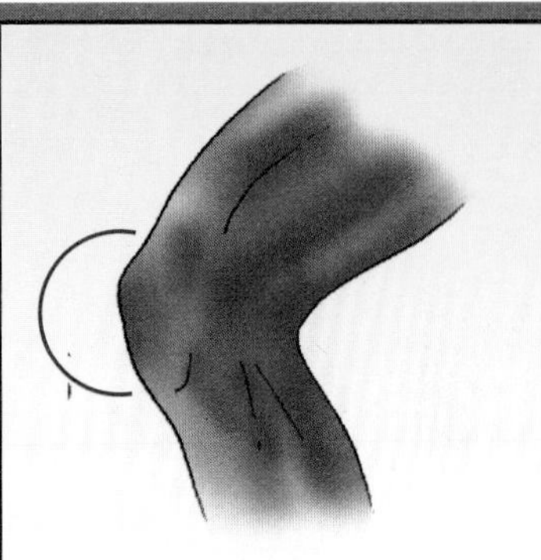

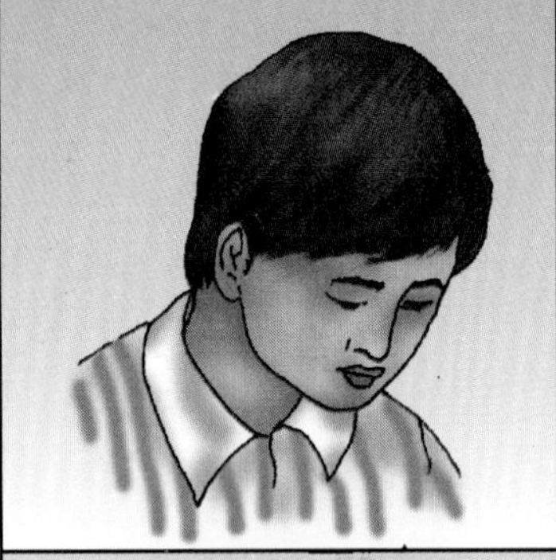

head
头
tóu

legs
腿
tuǐ

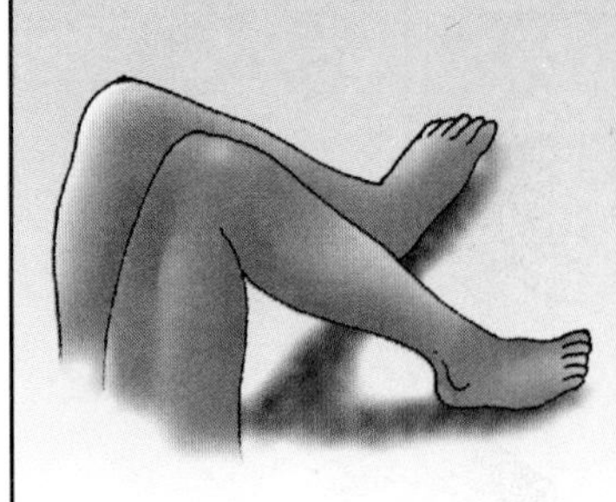

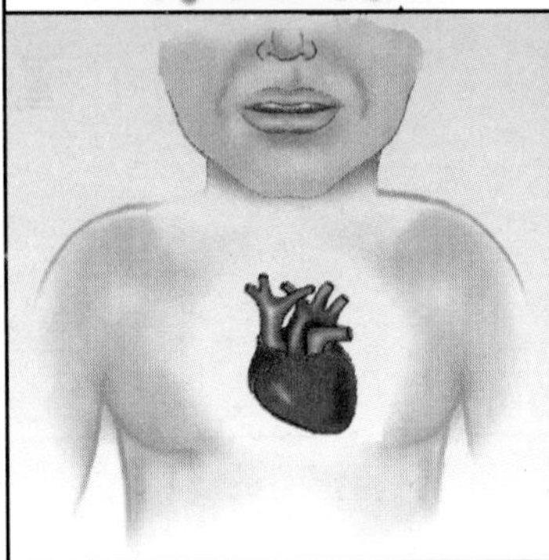

heart
心脏
xīnzàng

lips
嘴唇
zuǐchún

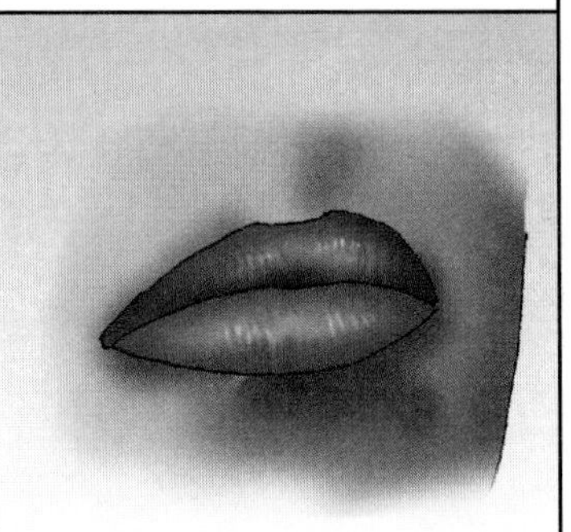

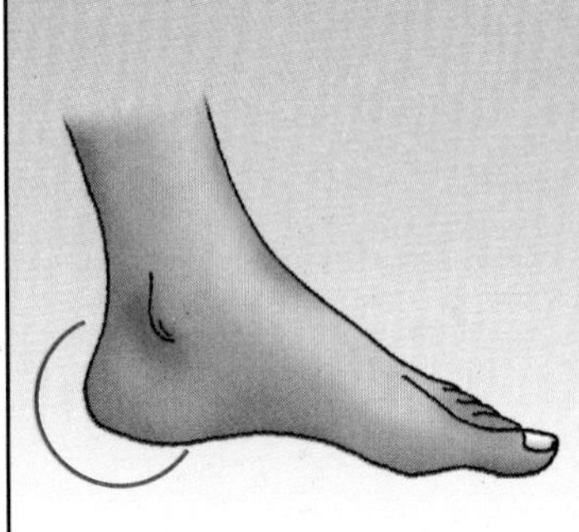

heel
脚后跟
jiǎo hòugen

lungs
肺
f i

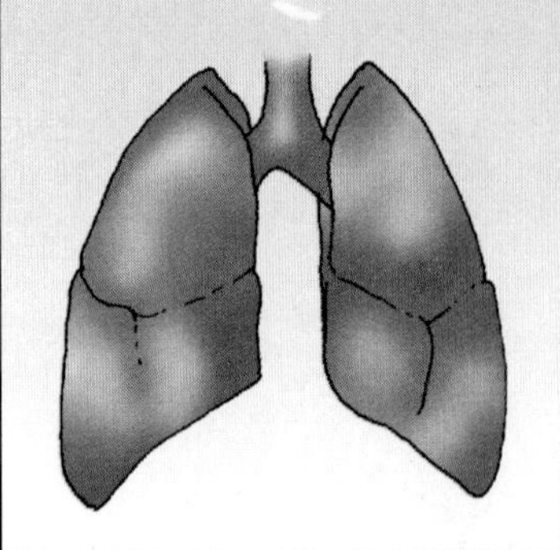

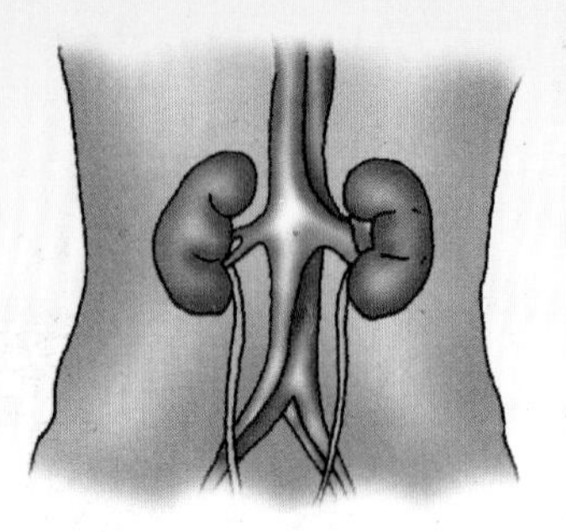

kidney
肾脏
shènzàng

mouth
嘴巴
zuǐbā

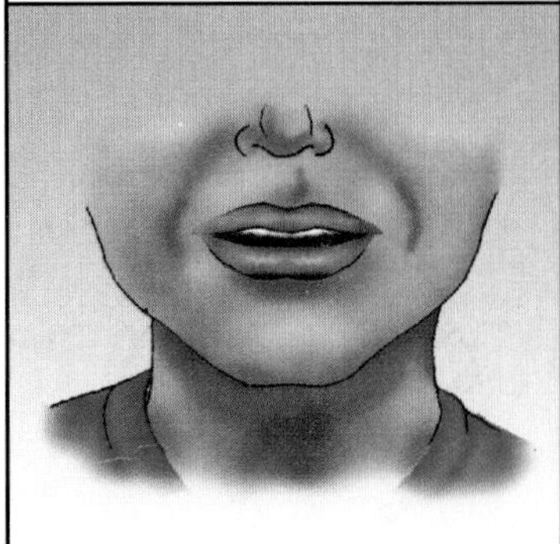

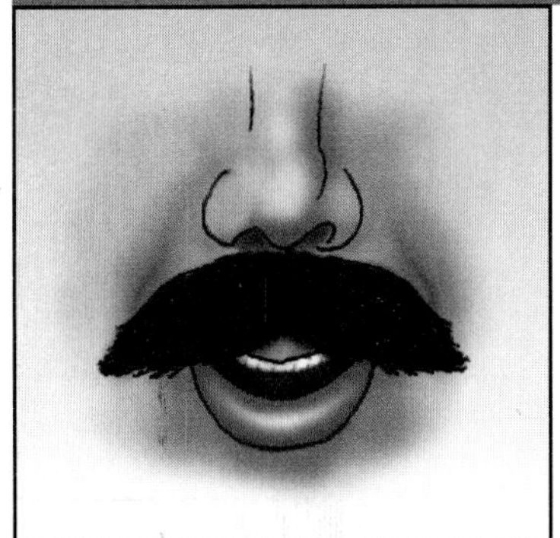

moustache

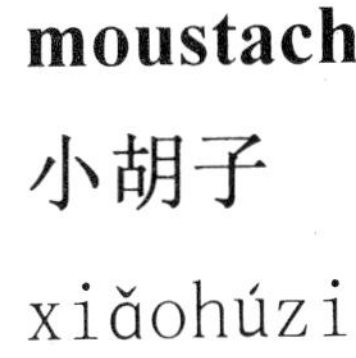

小胡子

xiǎohúzi

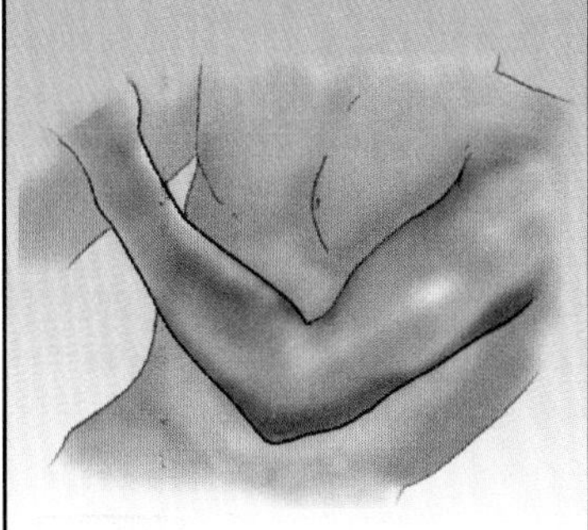

muscle

肌肉

jīròu

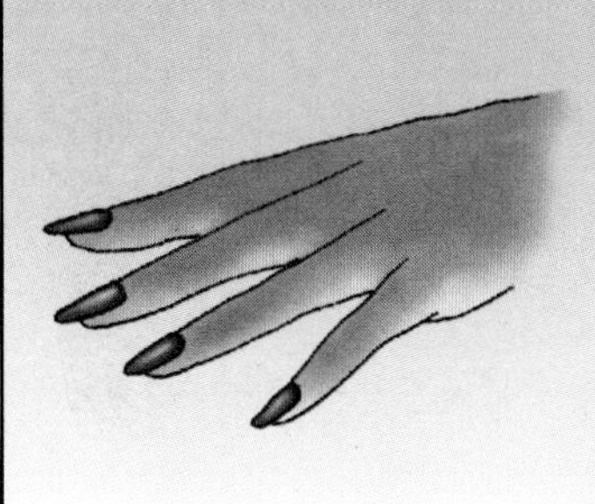

nails

指甲

zhǐjia

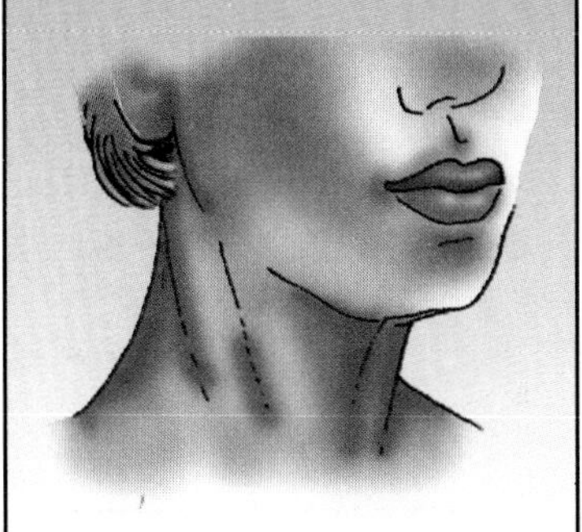

neck

颈

jǐng

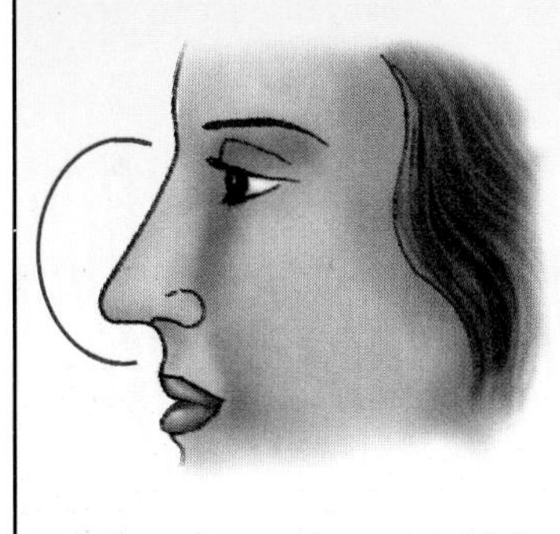

nose

鼻子

bízi

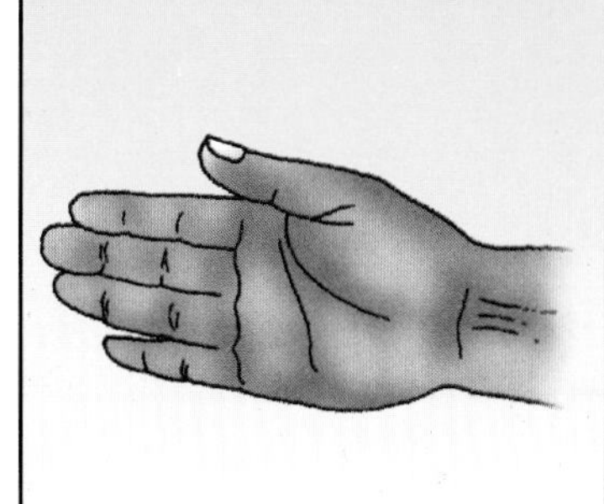

palm

手掌

shǒuzhǎng

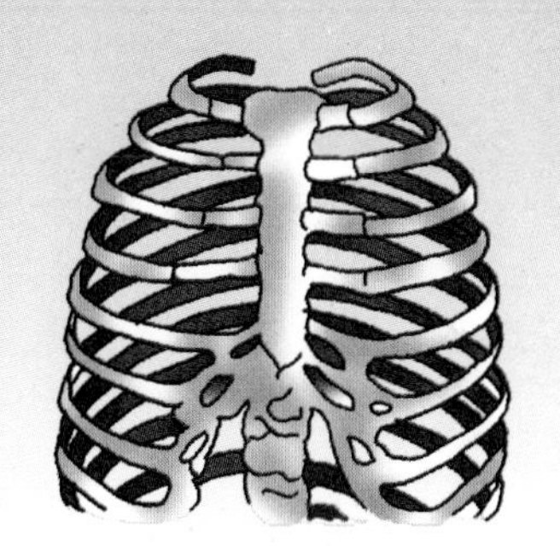

ribs

肋骨

lèigǔ

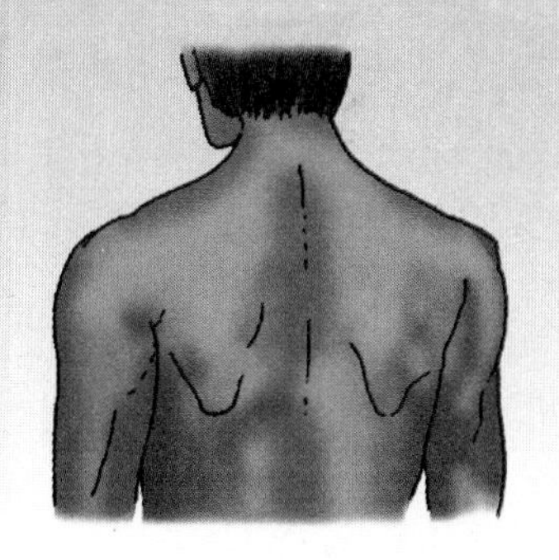

shoulder

肩膀

jiānbǎng

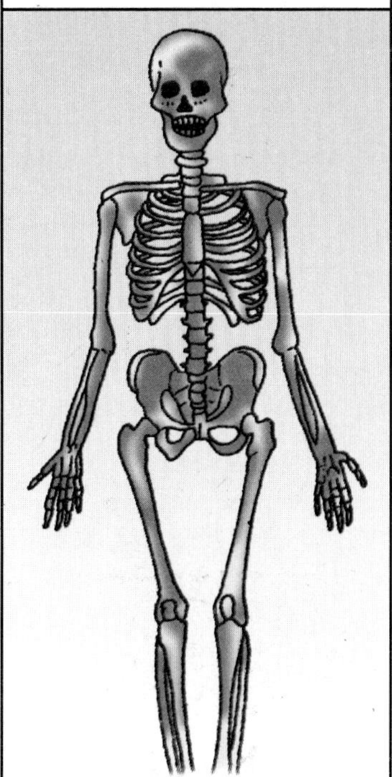

skeleton

骨骼

gǔgé

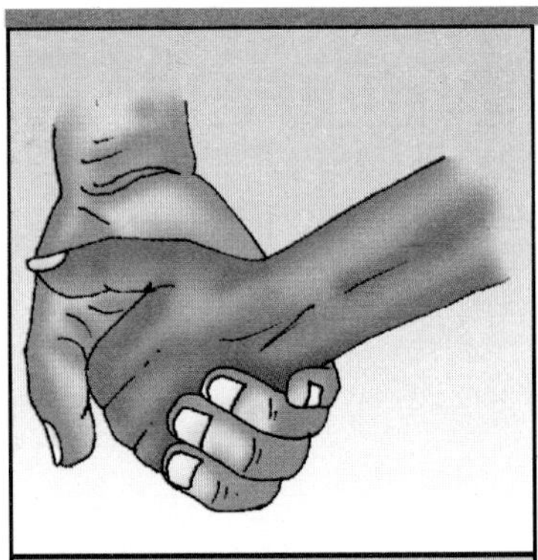

skin
皮肤
pífū

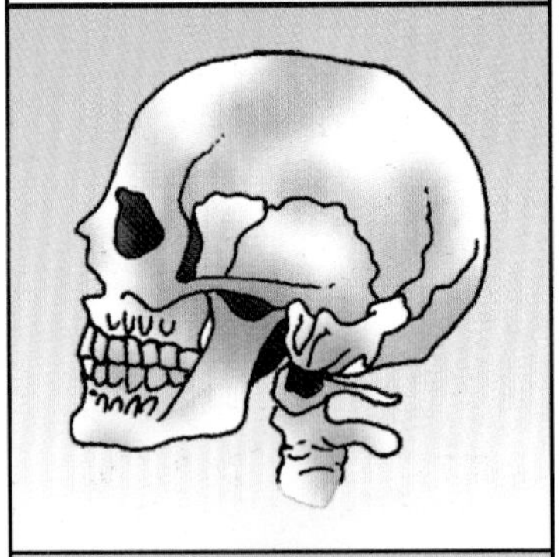

skull
头骨
tóugǔ

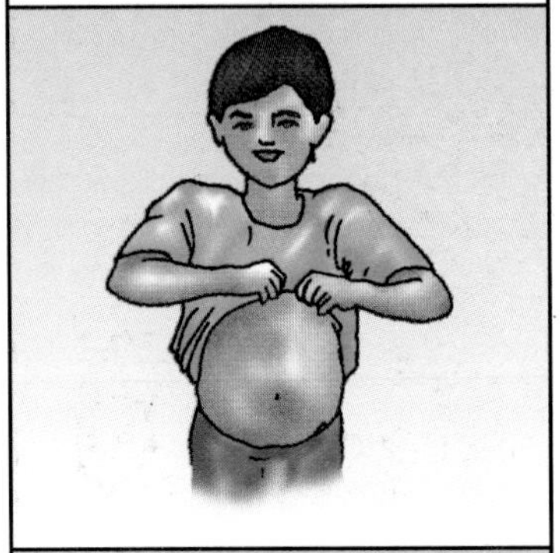

stomach
肚子
dùzi

teeth
牙齿
yáchǐ

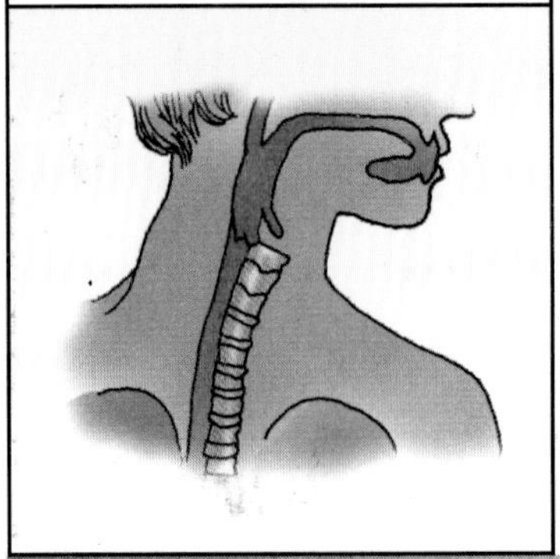

throat
喉咙
hóulóng

thumb
大拇指
dàmuzhǐ

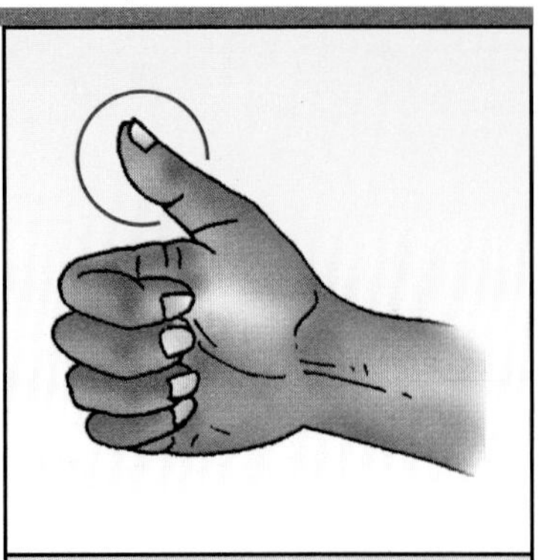

tongue
舌头
shétóu

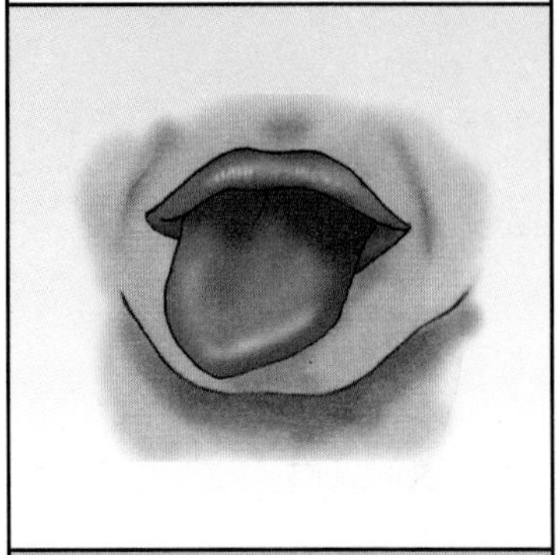

toe
脚趾
jiǎozhǐ

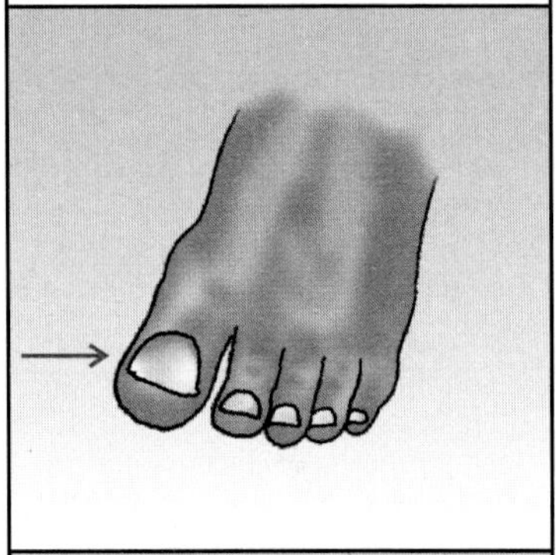

waist
腰
yāo

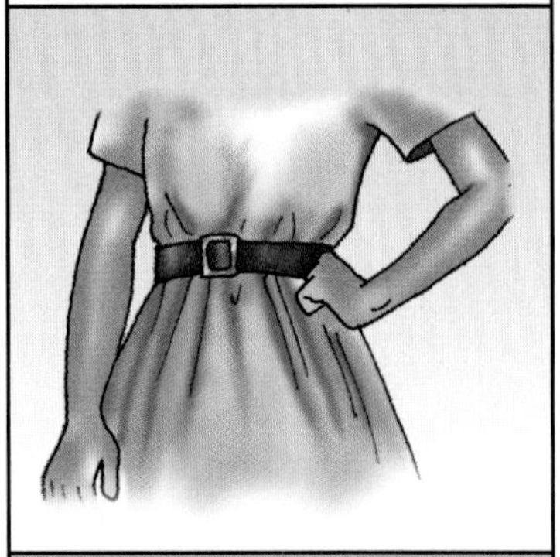

wrist
手腕
shǒuwàn

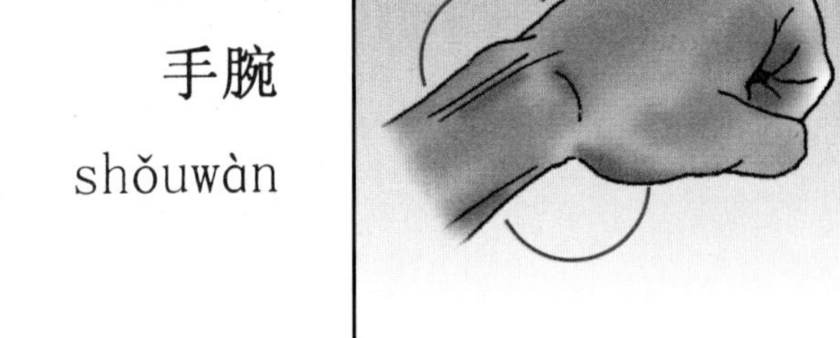

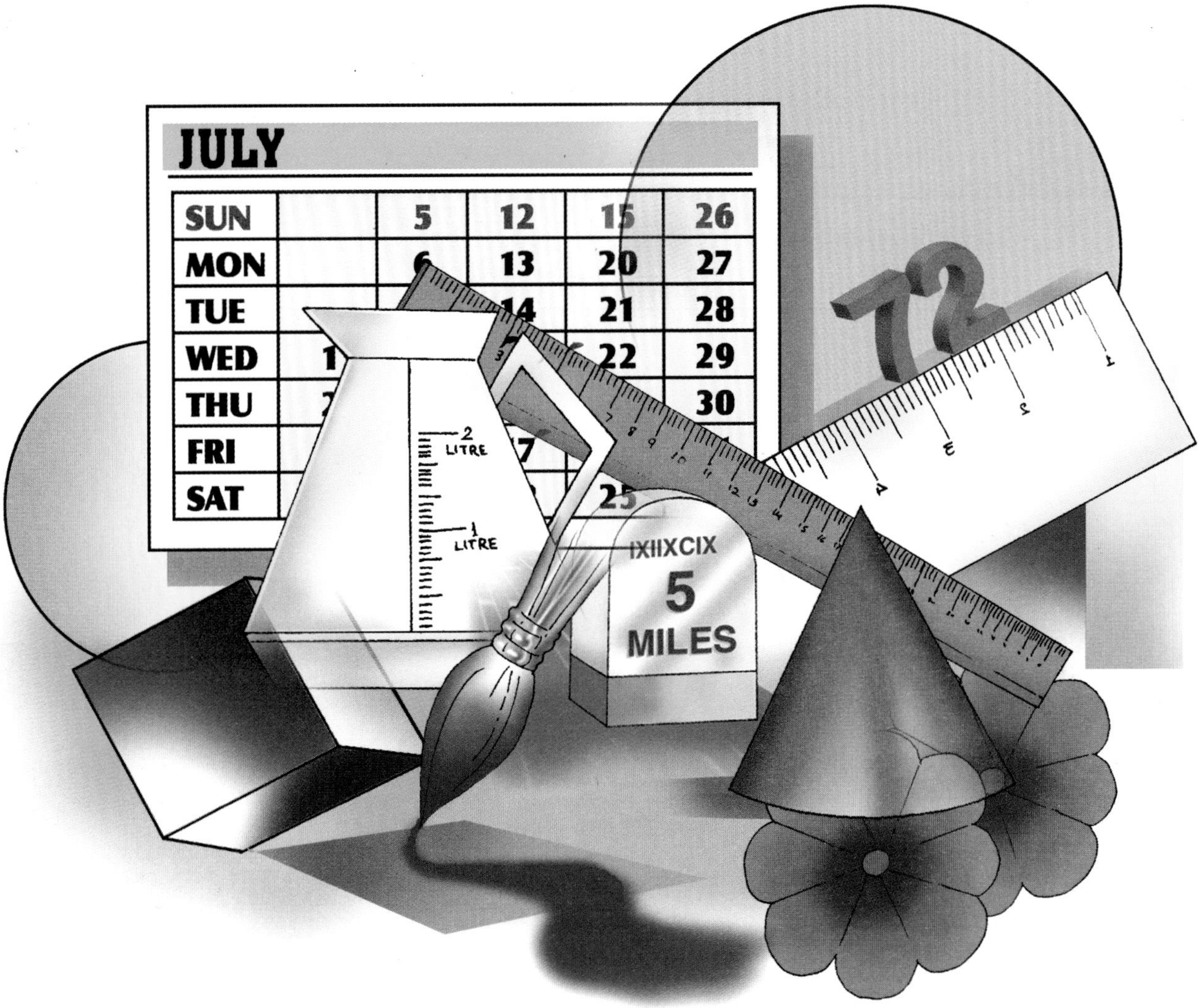

MEASUREMENTS, SHAPES, COLOURS AND TIME

度量，形状，颜色和时间

dùliáng，xíngzhuàng，yánsè hé shíjiān

black
黑
hēi

blue
蓝
lán

brown
棕
zōng

circle
圆
yuán

cone
圆锥
yuánzhuī

cube
立方体
lìfāngtǐ

decimal
十进数
shíjìnshù

green
绿
lǜ

heap
堆
duī

kilogram
公斤/千克
gōngjīn/
qiānkè

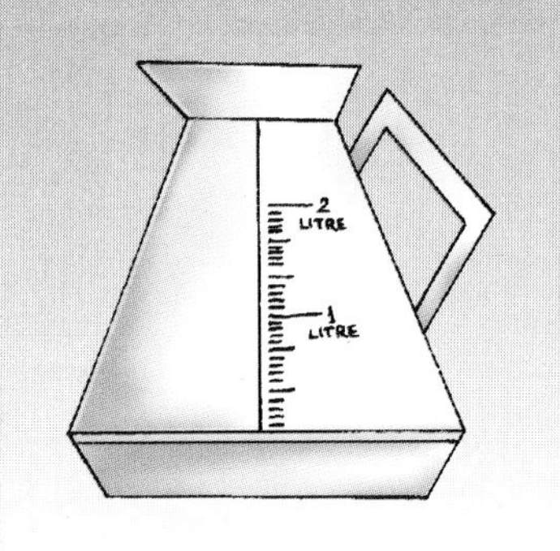

litre
公升
gōngshēng

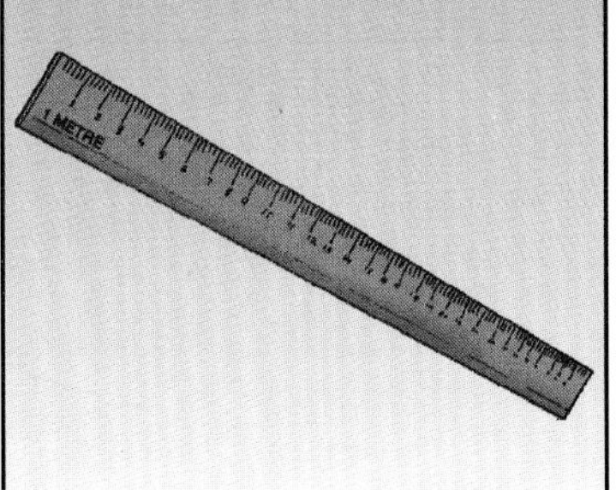

metre
公尺/米
gōngchǐ/mǐ

mile
英里
yīnglǐ

8:25

minute
分钟
fēnzhōng

JULY

SUN		5	12	15	26
MON		6	13	20	27
TUE		7	14	21	28
WED	1	8	15	22	29
THU	2	9	16	23	30
FRI	3	10	17	24	31
SAT	4	11	18	25	

month
月
yuè

oval
椭圆
tuǒyuán

pair
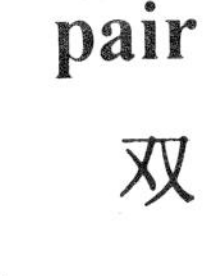
双
shuāng

pink
粉红
fěnhóng

rectangle
长方形
chángfāngxíng

red
红
hóng

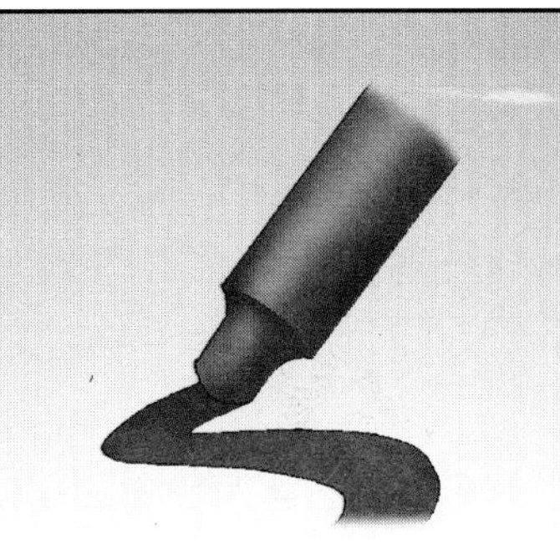

small
小
xiǎo

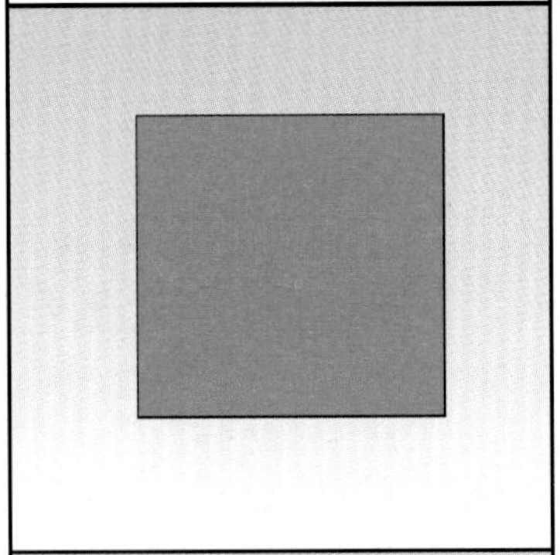

square
正方形
zhèngfāngxíng

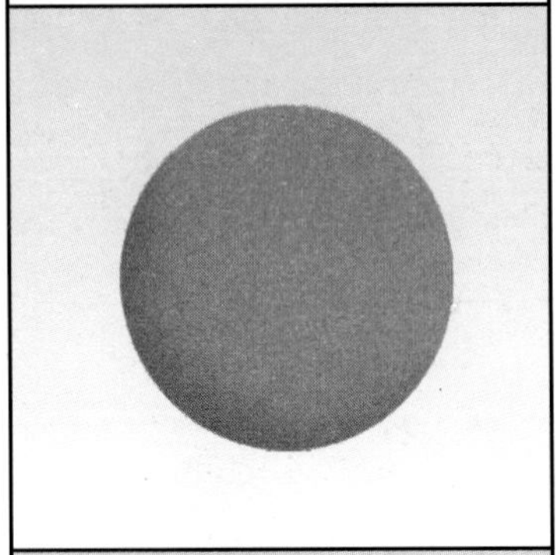

sphere
球状体
qiúzhuàngtǐ

tall
高
gāo

ton
吨
dūn

triangle
三角形
sānjiǎoxíng

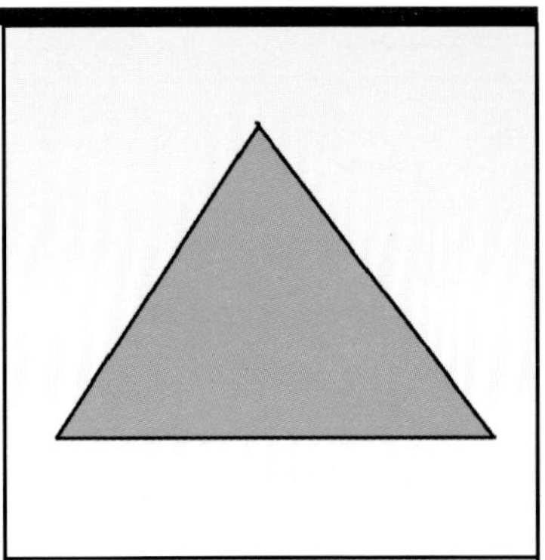

violet
紫
zǐ

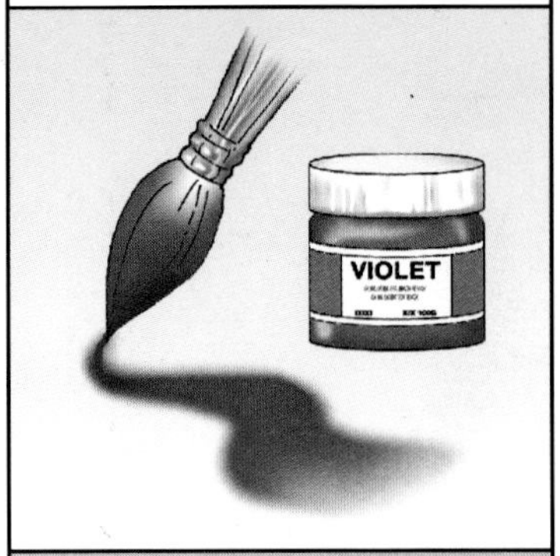

white
白
bái

yard
码
mǎ

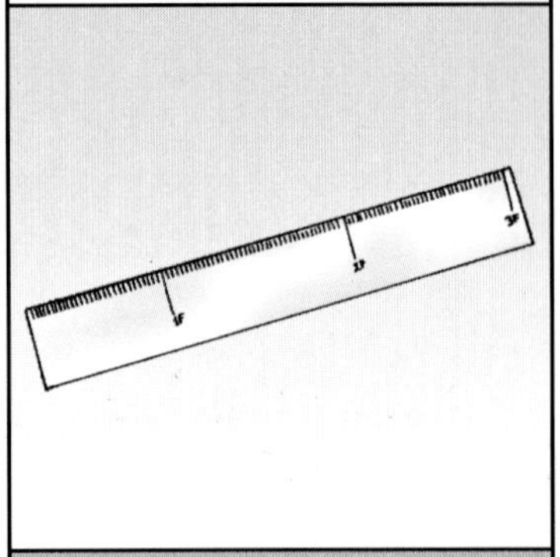

yellow
黄
huáng

PEOPLE, COSTUMES AND ORNAMENTS

人物，服装和服饰

rénwù, fúzhuāng hé fúshì

actor
男演员
nányǎnyuán

actress
女演员
nǚyǎnyuán

angel
天使
tiānshǐ

architect
建筑师
jiànzhùshī

artist
美术家
měishùjiā

astronaut
太空人/
宇航员
tàikōngrén/
yǔhángyuán

athlete
运动员
yùndòngyuán

author
作家
zuòjiā

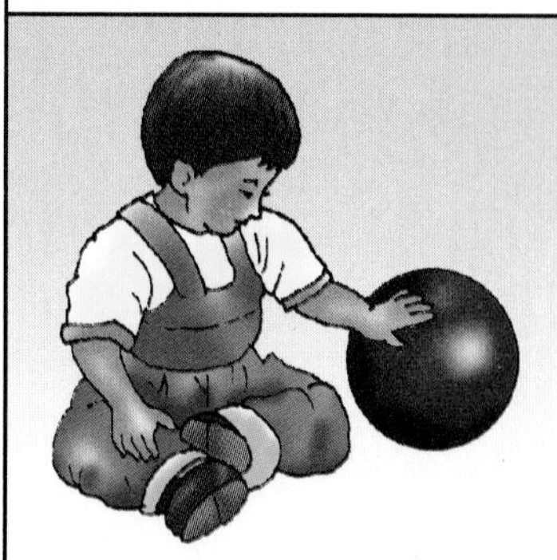

baby
婴儿
yīng' ér

baker
糕饼师
gāobǐngshī

bandit
歹徒/强盗
dǎitú / qiángdào

bride
新娘
xīnniáng

bishop
主教
zhǔjiào

bridegroom
新郎
xīnláng

blacksmith
铁匠
tiějiàng

captain
船长
chuánzhǎng

blouse
上衣
shàngyī

cap
帽子
màozi

boy
男孩
nánhái

carpenter
木匠
mùjiàng

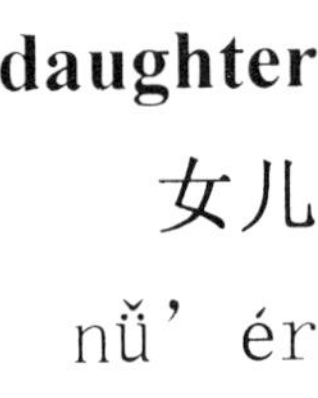

child
孩子
háizi

clown
小丑
xiǎochǒu

conductor
乘务员
chéngwùyuán

cook/chef
厨师
chúshī

dancers
舞蹈演员
wǔdǎoyǎnyuán

daughter
女儿
nǚ' ér

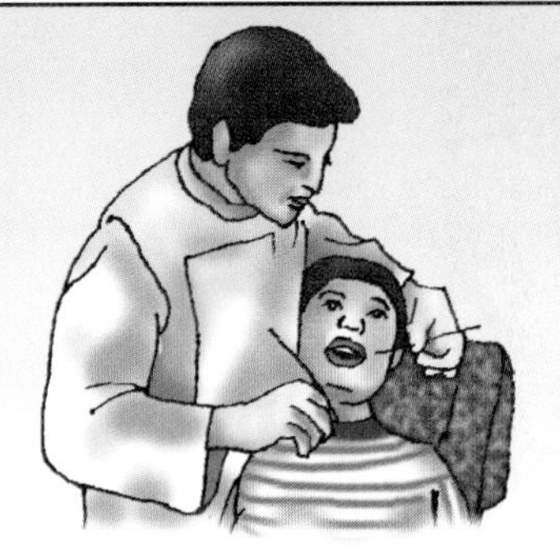

dentist
牙医
yáyī

doctor
医生
yīshēng

driver
司机/驾驶员
sījī/
jiàshǐyuán

dwarf
小矮人
xiǎoǎirén

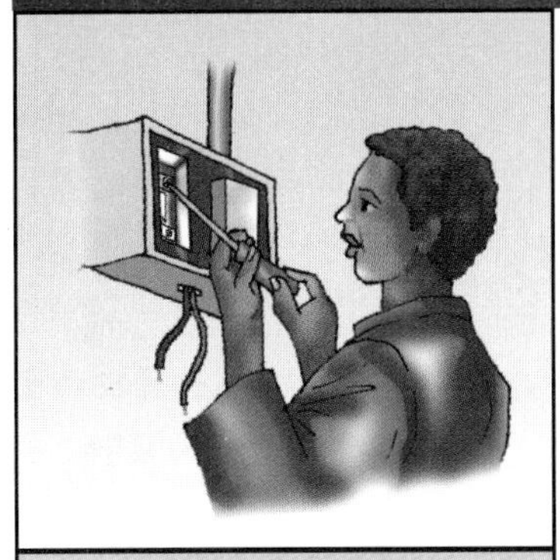

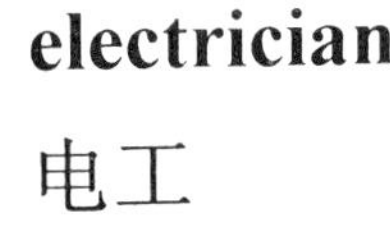

electrician
电工
diàngōng

farmer
农夫/农民
nóngfū / nóngmín

fire-fighter
消防员
xiāofángyuán

girl
女孩
nǚhái

jacket
夹克
jiákè

king
国王
guówáng

knight
骑士
qíshì

lady
女士
nǚshì

man
男士
nánshì

mechanic
技工
jìgōng

miner
矿工
kuànggōng

nun
修女
xiūnǚ

merchant
商贩
shāngfàn

nurse
护士
hùshi

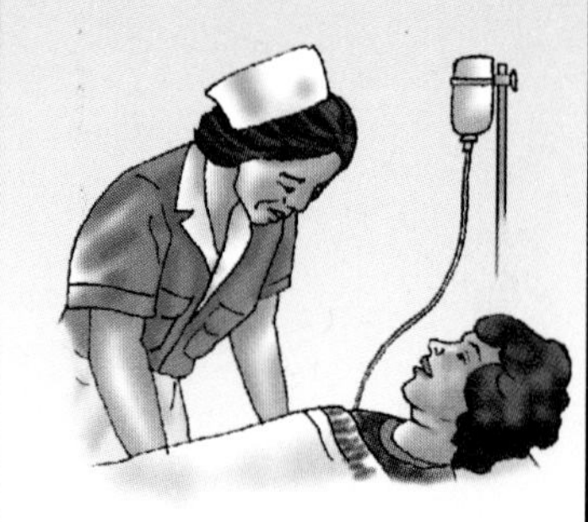

monk
和尚
héshang

painter
粉刷匠
fěnshuājiàng

musician
音乐家
yīnyuèjiā

pilot
飞行员
fēixíngyuán

necktie
领带
lǐngdài

plumber
管子工
guǎnzigōng

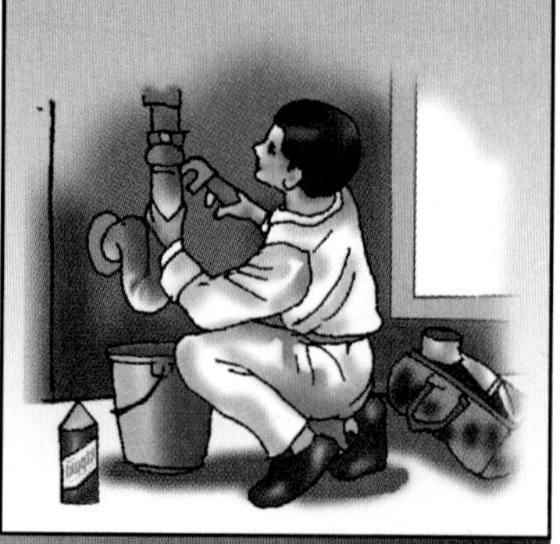

police officer
警官
jǐngguān

queen
王后
wánghòu

porter
搬运工
bānyùngōng

robber
强盗
qiángdào

postman
邮递员
yóudìyuán

sailor
水手
shuǐshǒu

priest
神甫/牧师
shénfǔ
mùshī

shorts
短裤
duǎnkù

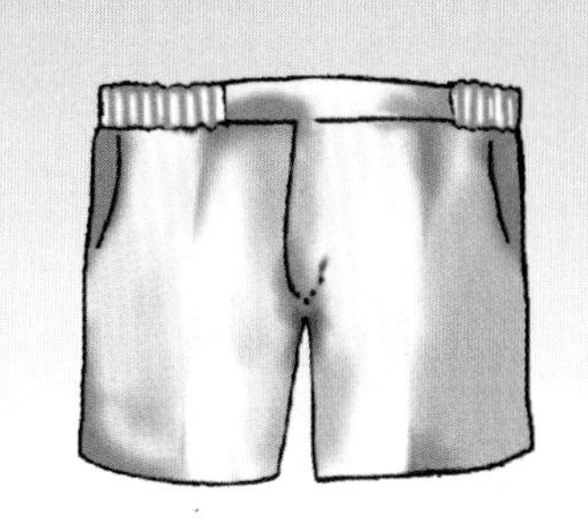

prince
王子
wángzǐ

shopkeeper
店主
diànzhǔ

sisters
姐妹
jiěmèi

soldier
军人
jūnrén

solicitor
律师
lǜshī

teacher
老师
lǎoshī

thief
贼/小偷
zéi/xiǎotōu

turban
头巾
tóujīn

waiter
招待员
zhāodàiyuán

wife
妻子
qīzi

woman
女人
nǚrén

wrestlers
摔跤手
shuāijiāoshǒu

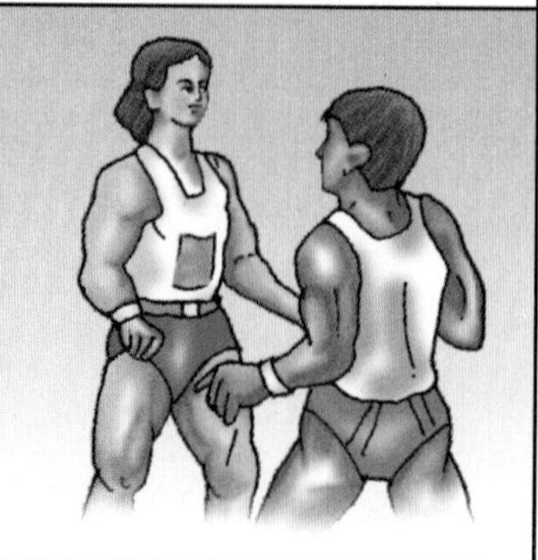

PLACES AND BUILDINGS

场所和建筑

chǎngsuǒ hé jiànzhù

airport
飞机场
fēijīchǎng

aquarium
水族馆
shuǐzúguǎn

bank
银行
yínháng

bay
海湾
hǎiwān

bazaar
市场
shìchǎng

beach
海滩
hǎitān

bridge
桥
qiáo

bungalow
别墅
biéshù

café
咖啡馆
kāfēiguǎn

canal
运河
yùnhé

castle
城堡
chéngbǎo

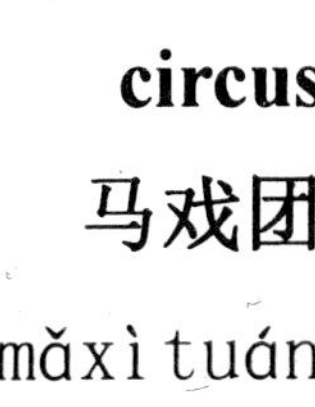

cathedral
大教堂
dàjiàotáng

cave
山洞
shāndòng

church
教堂
jiàotáng

cinema
电影院
diànyǐngyuàn

circus
马戏团
mǎxìtuán

clinic
诊所
zhěnsuǒ

coast
海岸
hǎi’àn

college
学院
xuéyuàn

cottage
农舍
nóngshè

court
法庭
fǎtíng

farm
农场
nóngchǎng

den
兽穴
shòuxué

apartment
公寓
gōngyù

desert
沙漠
shāmò

forest
森林
sēnlín

dome
园顶
yuándǐng

fort
城堡
chéngbǎo

factory
工厂
gōngchǎng

gallery
画廊
huàláng

petrol station
加油站
jiāyóuzhàn

garden
花园
huāyuán

glacier
冰川
bīngchuān

gulf
海湾
hǎiwān

hill
丘陵
qiūlíng

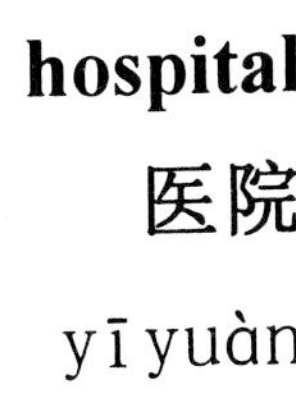

hospital
医院
yīyuàn

hostel
宿舍
sùshè

hotel
旅馆
lǚguǎn

house
房子
fángzi

hut
茅舍
máoshè

inn
客栈/小旅馆
kèzhàn/
xiǎolǚguǎn

island
岛
dǎo

laboratory
实验室
shíyànshì

lake
湖
hú

lane
小路
xiǎolù

library
图书馆
túshūguǎn

light house
灯塔
dēngtǎ

market
市场
shìchǎng

monument
纪念碑
jìniànbēi

mosque
清真寺
qīngzhēnsì

mountain
山
shān

museum
博物馆
bówùguǎn

observatory
天文台
tiānwéntái

ocean
海洋
hǎiyáng

office
办公室
bàngōngshì

orchard
果园
guǒyuán

palace
宫殿
gōngdiàn

park
公园
gōngyuán

pavement
人行道
rénxíngdào

pillars
柱子
zhùzi

play ground
运动场
yùndòngchǎng

pond
水塘
shuǐtáng

pool
池塘
chítáng

port
港口
gǎngkǒu

post-office
邮局
yóujú

prison
监狱
jiānyù

restaurant
餐厅
cāntīng

river
河
hé

road
路
lù

school
学校
xuéxiào

workshop
工场
gōngchǎng

shop
商店
shāngdiàn

skyscrapers
摩天大楼
mótiāndàlóu

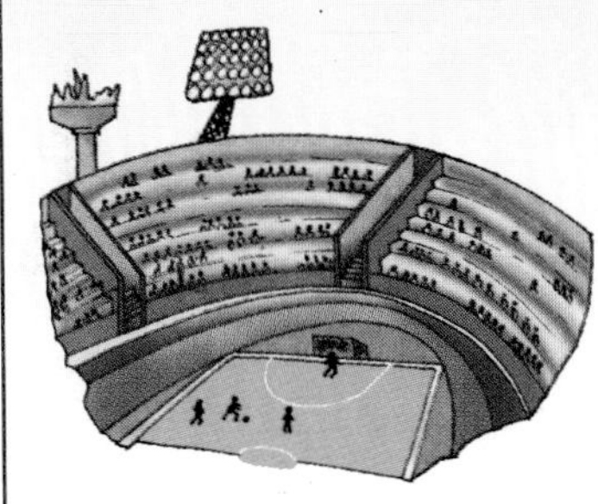

stadium
体育场
tǐyùchǎng

station
火车站
huǒchēzhàn

street
街
jiē

subway
地下铁路
dìxiàtiělù

supermarket
超级市场
chāojíshì chǎng

swimming pool
游泳池
yóuyǒngchí

temple
寺庙
sìmiào

theatre
剧场
jùchǎng

tower
塔
tǎ

town
城镇
chéngzhèn

tunnel
隧道
suìdào

university
大学
dàxué

valley
山谷
shāngǔ

village
农村
nóngcūn

ward/clinic
病房
bìngfáng

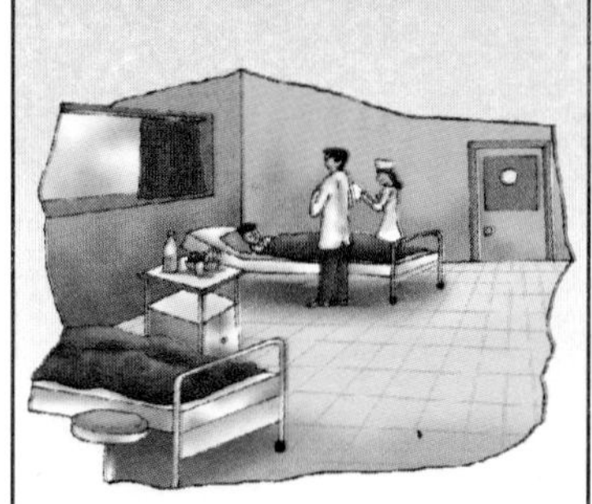

zoo
动物园
dòngwùyuán

PLANTS AND FLOWERS

植物和花朵

zhíwù hé huāduǒ

balsam
香胶树
xiāngjiāoshù

bamboo
竹
zhú

branch
树枝
shùzhī

bush
灌木
guànmù

cactus
仙人掌
xiānrénzhǎng

corn
玉米
yùmǐ

cotton
棉花
miánhuā

daffodil
黄水仙
huáng shuǐxiān

dandelion
蒲公英
púgōngyīng

eggplant
茄子
qiézi

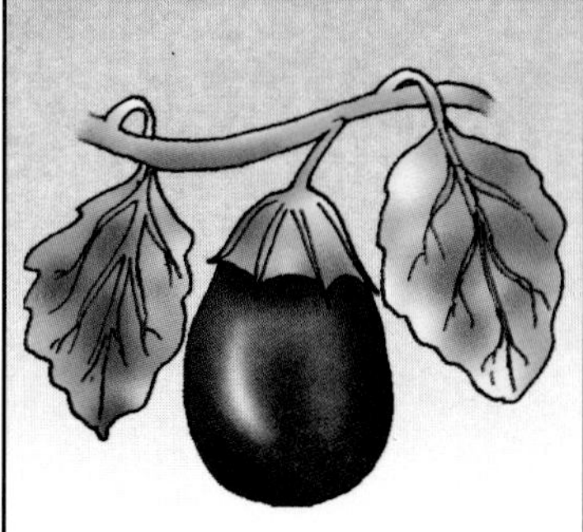

elm
榆树
yúshù

honey-suckle
金银花
jīnyínhuā

fir
杉树
shānshù

jasmine
茉莉花
mòlìhuā

flax
亚麻
yàmá

lily
百合花
bǎihéhuā

grass
草
cǎo

maize
玉蜀黍
yùshǔshǔ

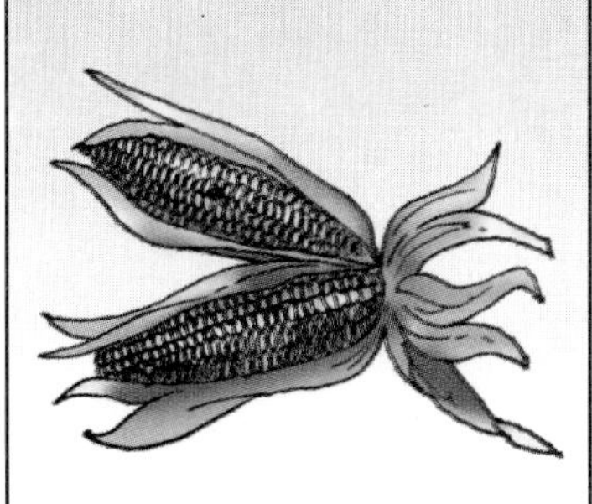

heliopsis
向阳花
xiàngyánghuā

narcissus
水仙
shuǐxiān

olive
橄榄
gǎnlǎn

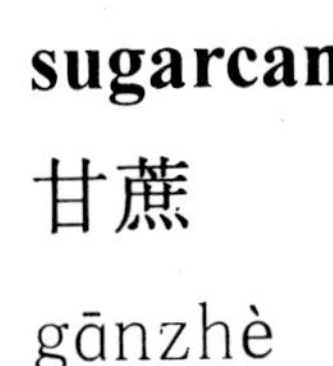

sugarcane
甘蔗
gānzhè

palm trees
棕榈树
zōnglǘshù

tobacco
烟草
yāncǎo

peas
豌豆/青豆
wāndòu/
qīngdòu

vanilla
香草
xiāngcǎo

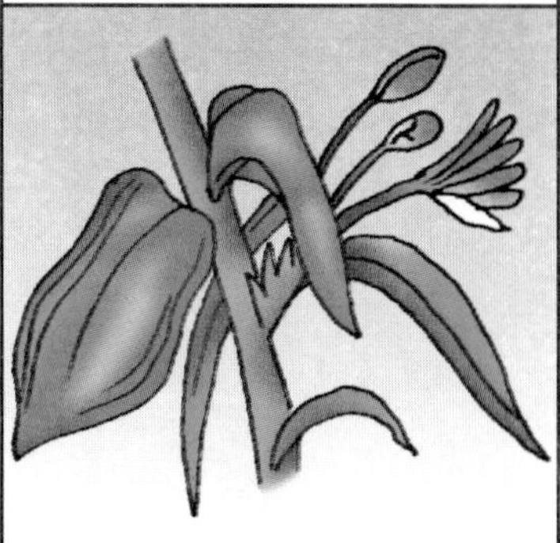

root
根
gēn

water-lily
荷花
héhuā

rose
玫瑰
méiguī

zinnias
百日菊
bǎirìjú

SPORTS，GAMES AND RECREATION

体育，游戏和娱乐

tǐyù，yóuxì hé yúlè

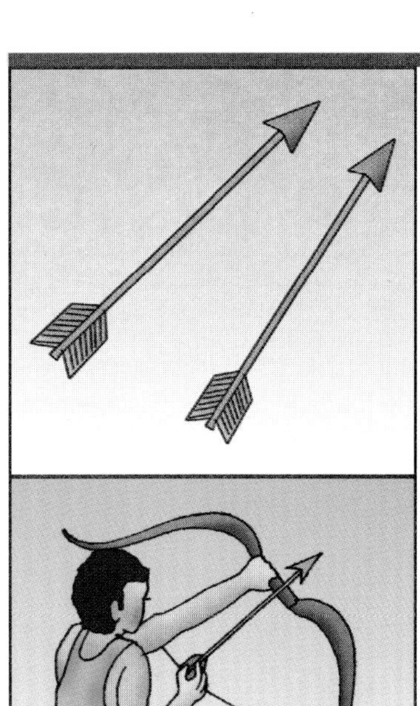

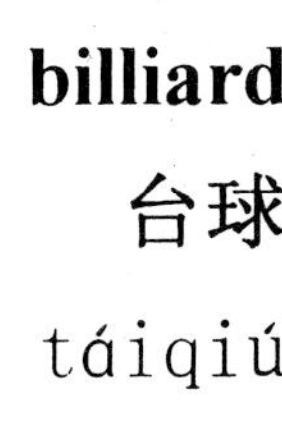

arrow
箭
jiàn

archery
射箭（术）
shèjiàn(shù)

badminton
羽毛球
yǔmáoqiú

ball
球
qiú

balloons
气球
qìqiú

billiard
台球
táiqiú

carrom board
康乐棋
kānglèqí

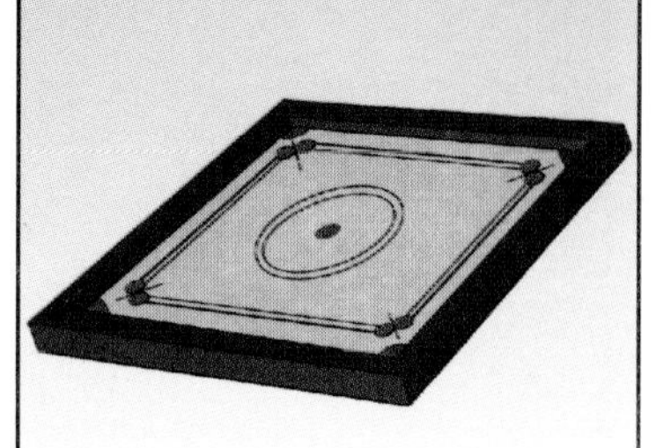

chess
国际象棋
guójì xiàngqí

clarinet
黑管
hēiguǎn

cornet
短号
duǎnhào

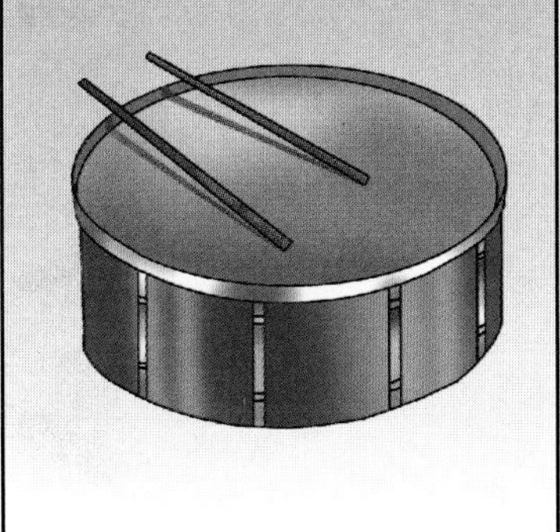

drum
鼓
gǔ

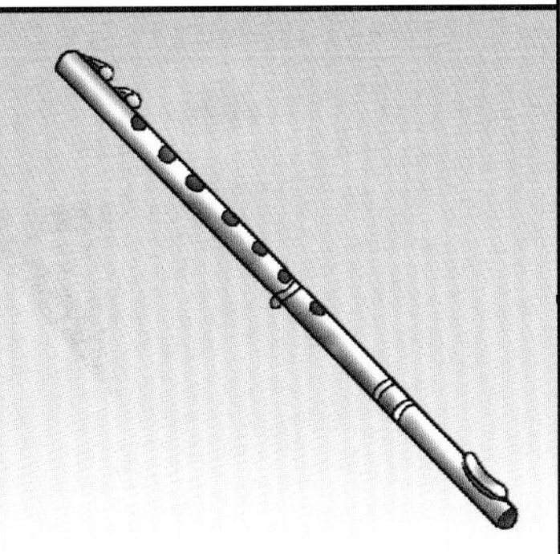

flute
长笛
chángdí

cricket
板球
bǎnqiú

football
足球
zúqiú

golf
高尔夫球
gāoěrfūqiú

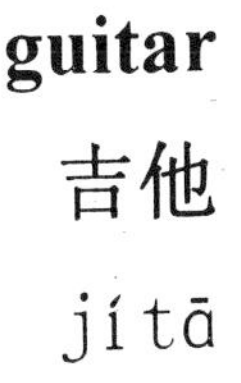

guitar
吉他
jítā

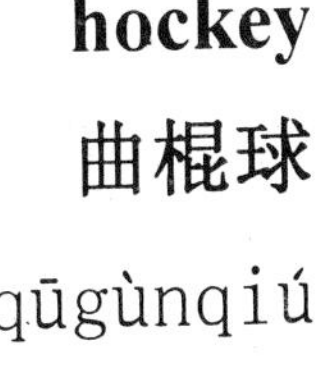

hockey
曲棍球
qūgùnqiú

kite
风筝
fēngzhēng

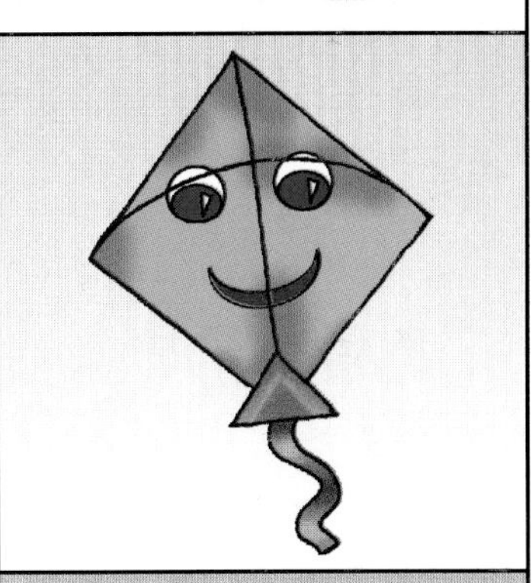

mandolin
曼陀林
màntuólín

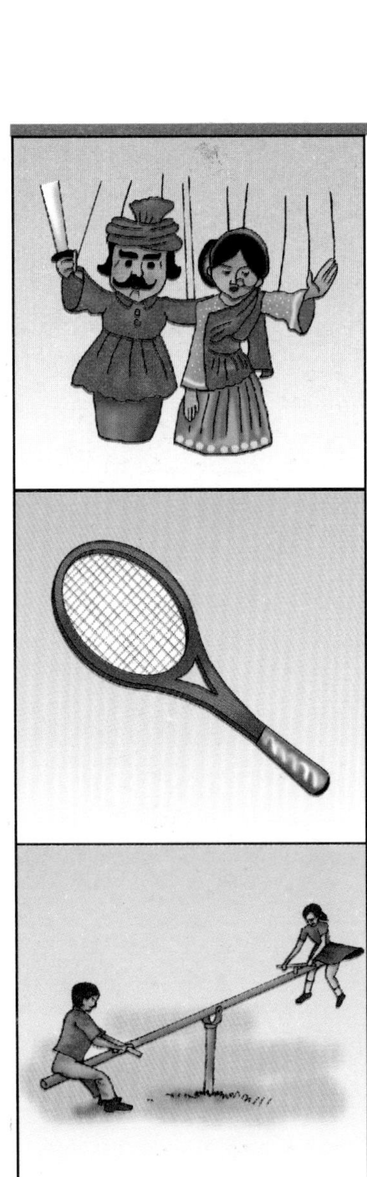

puppets
木偶戏
mù’ ǒuxì

racket
球拍
qiúpāi

seesaw
跷跷板
qiāoqiāobǎn

shuttle-cock
羽毛球
yǔmáoqiú

skates
溜(滑)冰鞋
liū (huá)
bīngxié

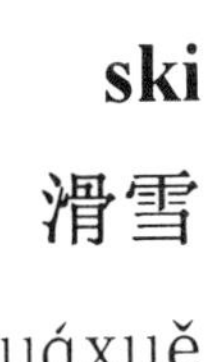

ski
滑雪
huáxuě

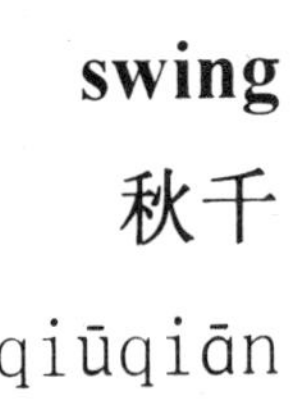

swing
秋千
qiūqiān

tennis
网球
wǎngqiú

trumpet
小号
xiǎohào

violin
小提琴
xiǎotíqín

TRANSPORT AND COMMUNICATION

交通运输和通讯

jiāotōng yùnshū hé tōngxùn

aeroplane
飞机
fēijī

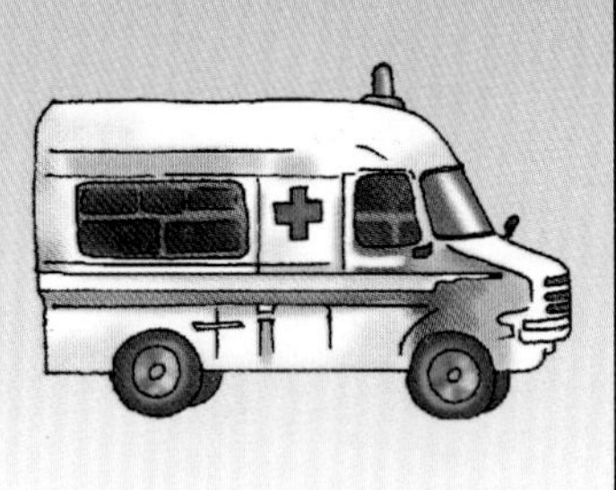

ambulance
救护车
jiùhùchē

automobile
汽车
qìchē

balloon
热气球
rèqìqiú

bicycle
行车
zìxíngchē

boat
小船
xiǎochuán

bus
公共汽车
gōnggòng qìchē

bullock cart
牛车
niúchē

bull-dozer
推土机
tuītǔjī

cable-car
缆车
lǎnchē

car
小轿车
xiǎojiàochē

caravan
房车
fángchē

cart
手推车
shǒutuīchē

chariot
战车
zhànchē

coach
大客车
dàkèchē

crane
吊车
diàochē

double decker bus
双层公共汽车
shuāngcéng gōnggòng qìchē

engine (railway)
火车头
huǒchētóu

fax
传真机
chuánzhēnjī

fire engine
消防车
xiāofángchē

generator
发电机
fādiànjī

motorcycle
摩托车
mótuōchē

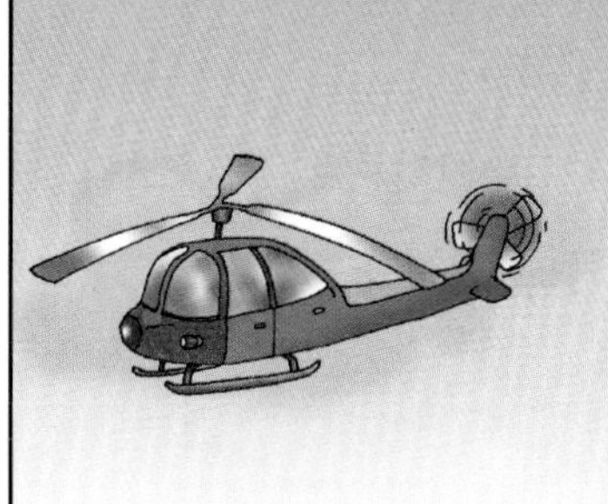

helicopter
直升飞机
zhíshēng fēijī

parachute
降落伞
jiàngluòsǎn

hover-craft
气垫船
qìdiànchuán

petrol pump
加油机
jiāyóujī

jeep
吉普车
jípǔchē

post card
明信片
míngxìnpiàn

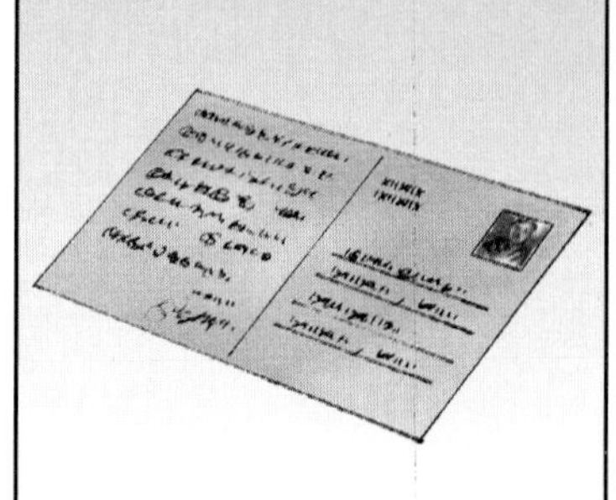

letter
信
xìn

radio
收音机
shōuyīnjī

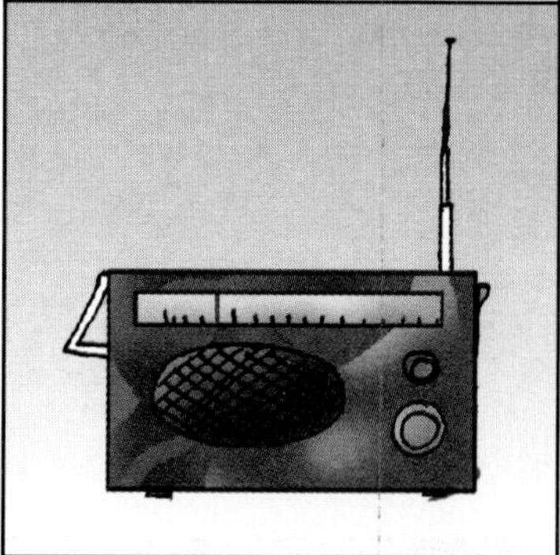

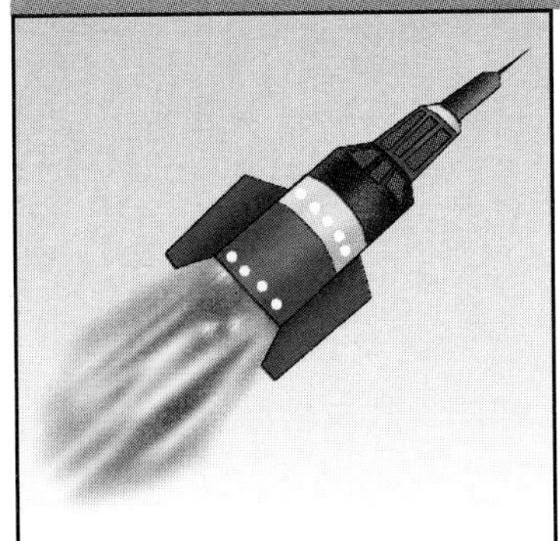

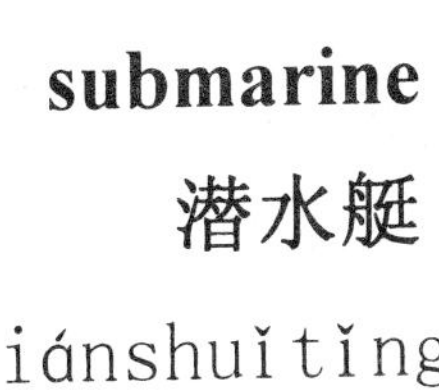

rocket
火箭
huǒjiàn

scooter
小轮摩托车
xiǎolún
mótuōchē

ship
轮船
lúnchuán

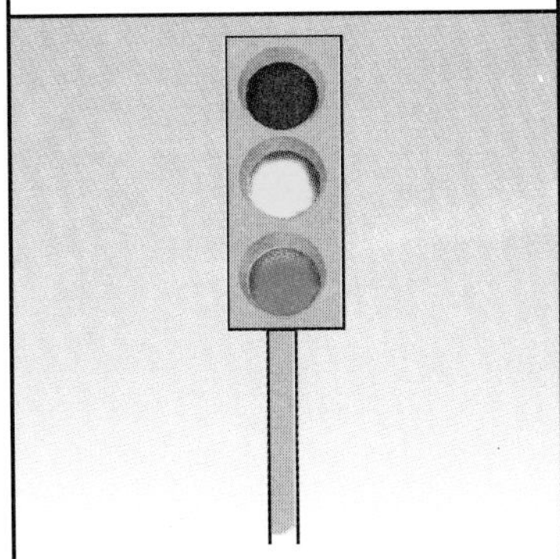

signal
信号
xìnhào

stamp
邮票
yóupiào

submarine
潜水艇
qiánshuǐtǐng

tanker
油槽车
yóucáochē

taxi
计程车
jìchéngchē

telephone
电话
diànhuà

television
电视
diànshì

typewriter
打字机
dǎzìjī

tram-car
电车
diànchē

tractor
拖拉机
tuōlājī

van
厢式送货车
xiāngshì sònghuòchē

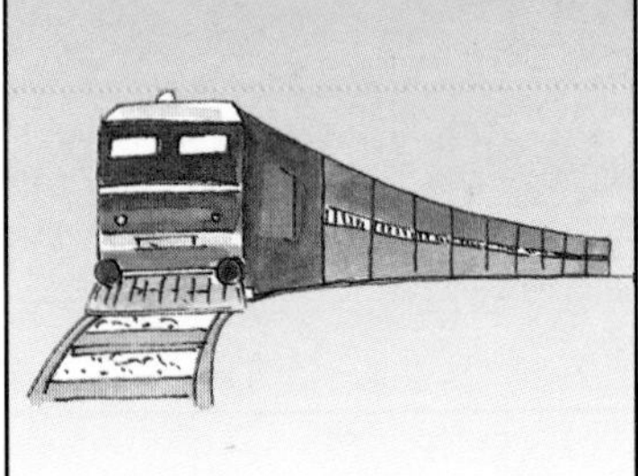

train
火车
huǒchē

vehicles
车辆
chēliàng

tricycle
三轮车
sānlúnchē

wheel
轮
lún

tri-shaw
三轮车
sānlúnchē

yacht
帆船
fānchuán

UNIVERSE AND WEATHER

宇宙和气象

yǔzhòu hé qìxiàng

atom
原子
yuánzǐ

comet
彗星
huìxīng

autumn
秋天
qiūtiān

drought
旱灾
hànzāi

avalanche
雪崩
xuěbēng

earth
地球
dìqiú

blizzard
暴风雪
bàofēngxuě

earthquake
地震
dìzhèn

cloud
云
yún

eclipse
蚀
shí

flood
水灾
shuǐzāi

fog
雾
wù

globe
地球
dìqiú

lightning
闪电
shǎndiàn

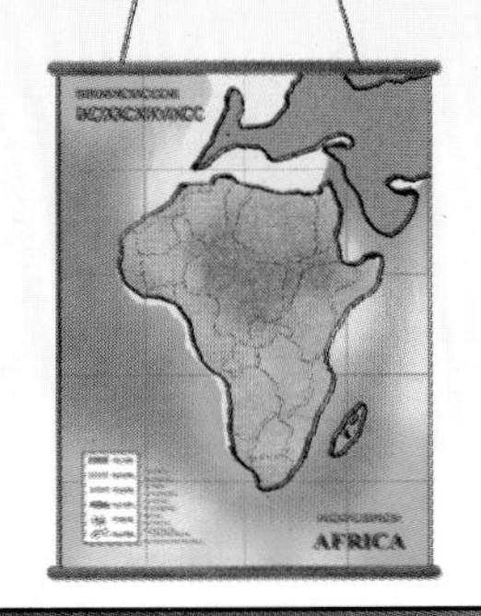

map
地图
dìtú

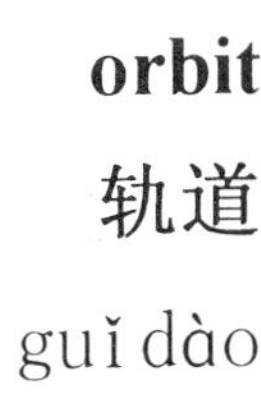

orbit
轨道
guǐdào

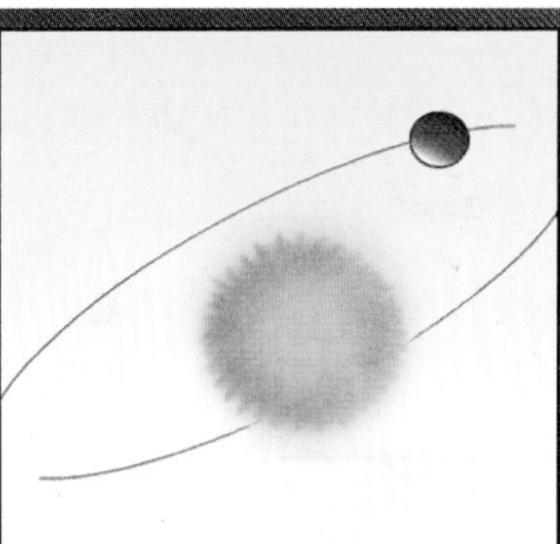

rain
雨
yǔ

satellite
人造卫星
rénzào
wèixīng

sky
天空
tiānkōng

snow
雪
xuě

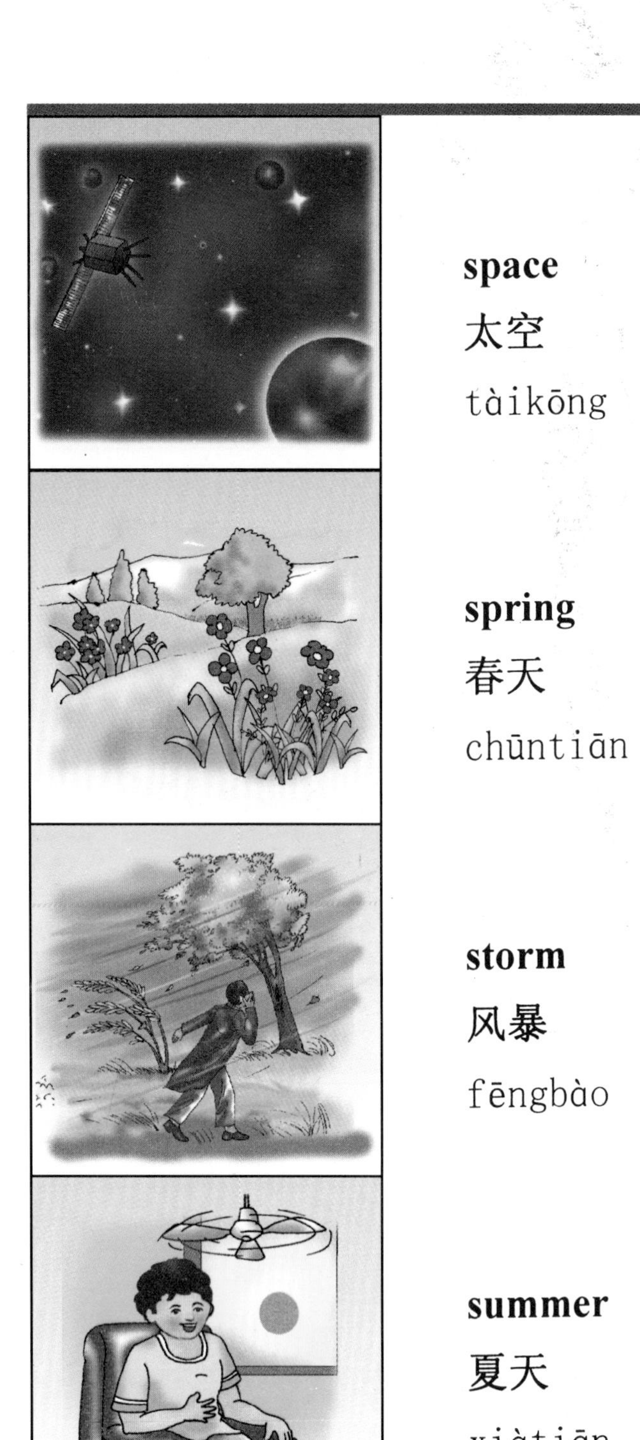

space
太空
tàikōng

spring
春天
chūntiān

storm
风暴
fēngbào

summer
夏天
xiàtiān

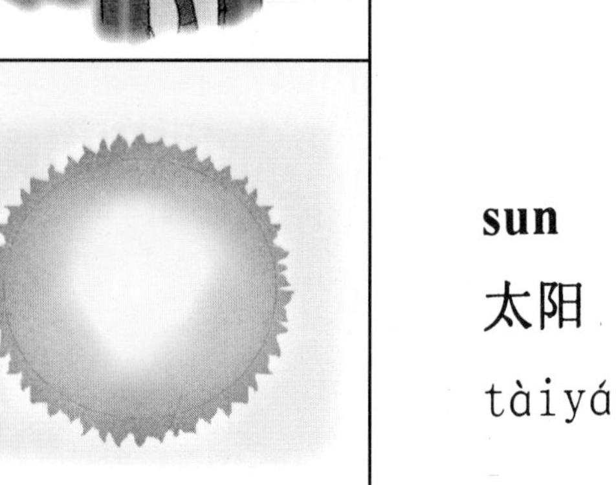

sun
太阳
tàiyáng

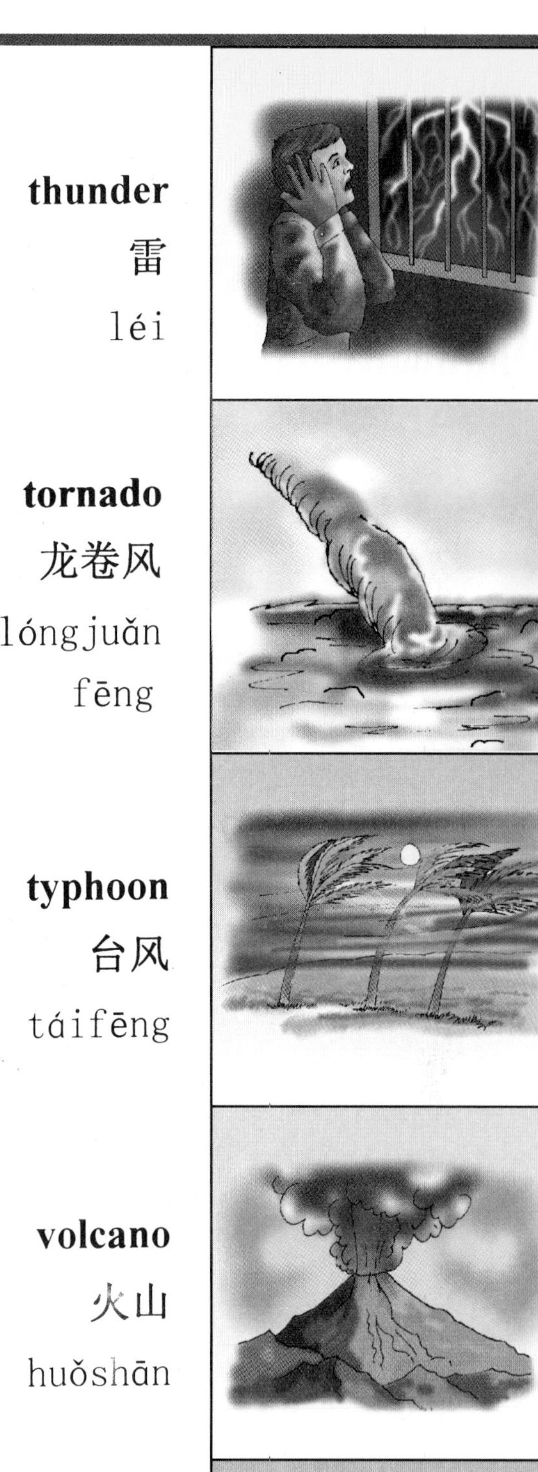

thunder
雷
léi

tornado
龙卷风
lóngjuǎn fēng

typhoon
台风
táifēng

volcano
火山
huǒshān

winter
冬天
dōngtiān

OTHER USEFUL WORDS

其他有用词汇

qítā yǒuyòng cíhuì

album
相册
xiàngcè

ammunition
弹药
dànyào

axe
斧头
fǔtóu

badges
徽章
huīzhāng

bags
袋子
dàizi

barrel
桶
tǒng

baskets
篮子
lánzi

battery
电池
diànchí

bells
铃
líng

book
书
shū

bottles
瓶子
píngzi

buttons
纽扣
niǔkòu

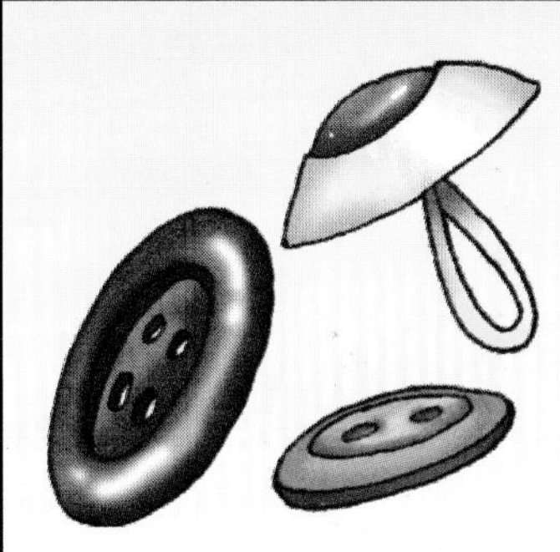

box
箱子
xiāngzi

cable
电缆
diànlǎn

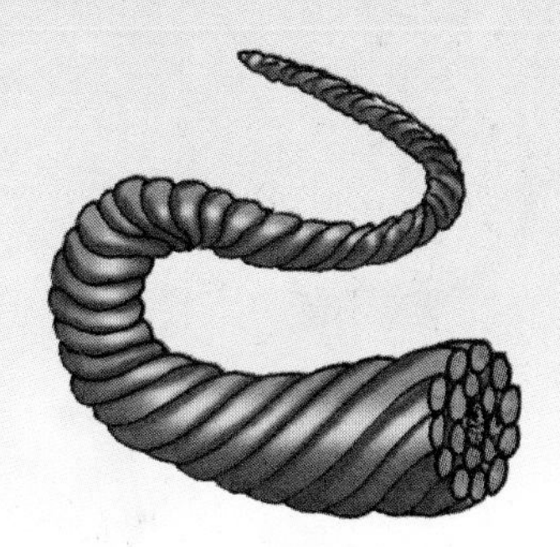

bricks
砖
zhuān

cage
笼子
lóngzi

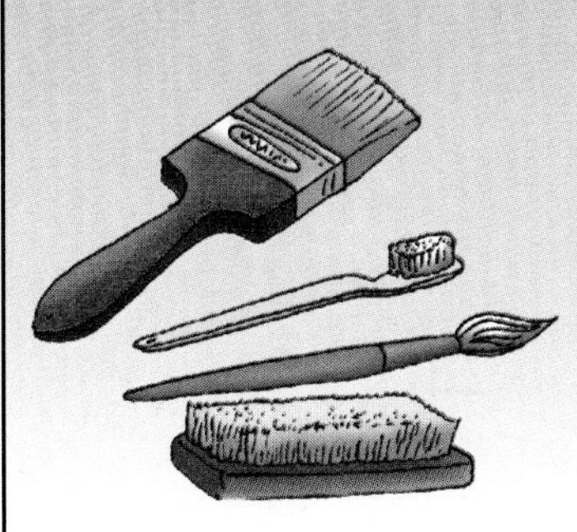

brushes
刷子
shuāzi

camera
照相机
zhàoxiàngjī

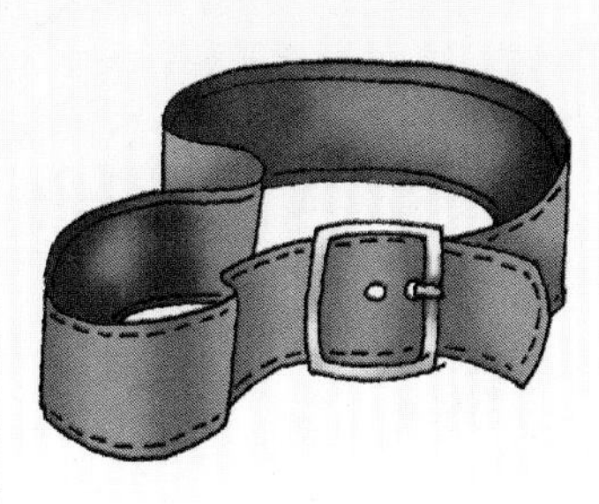

belt
腰带
yāodài

candle
蜡烛
làzhú

playing cards
纸牌/扑克
zhǐpái/
pūkè

coins
钱币
qiánbì

chain
链
liàn

combs
梳子
shūzi

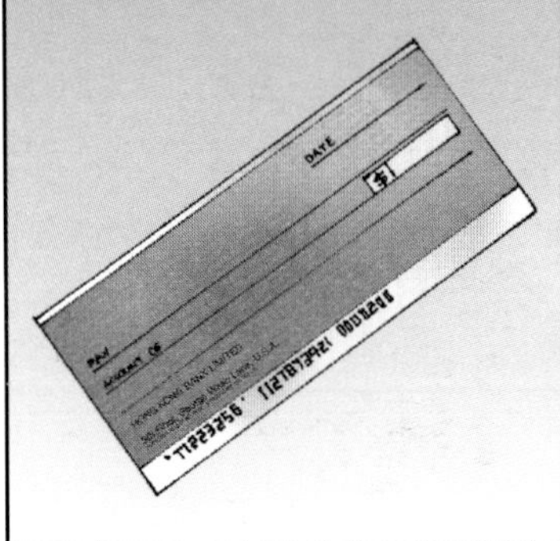

cheque
支票
zhīpiào

computer
电脑
diànnǎo

clock
时钟
shízhōng

cord
线团
xiàntuán

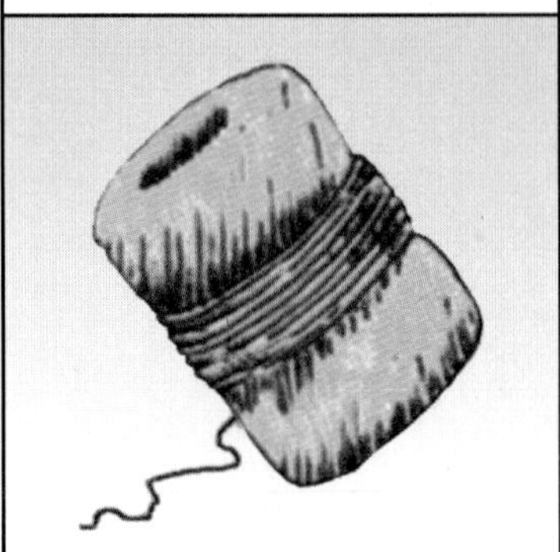

coal
煤
méi

cushions
靠垫
kàodiàn

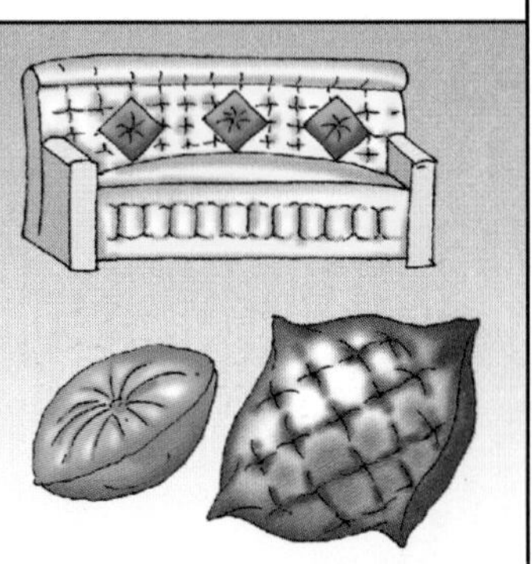

cylinder
圆筒
yuántǒng

dagger
匕首
bǐshǒu

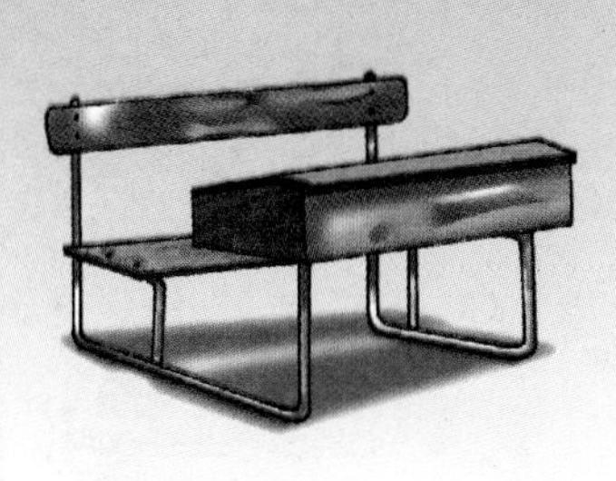

desk
书桌
shūzhuō

dish
碟子
diézi

drawer
衣柜
yīguì

drugs
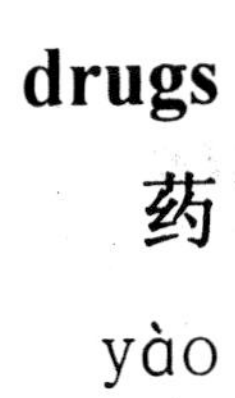
药
yào

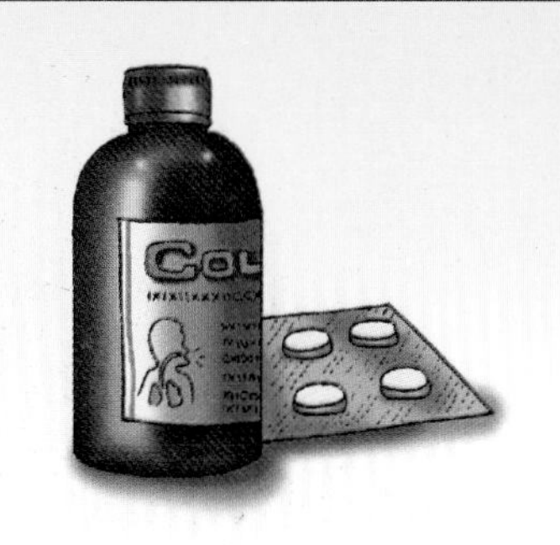

dustbin
垃圾箱
lājīxiāng

envelopes
信封
xìnfēng

eraser
橡皮擦
xiàngpícā

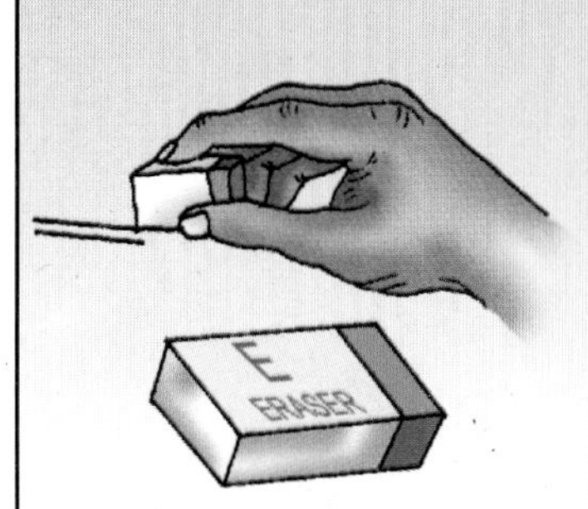

fan
电扇
diànshàn

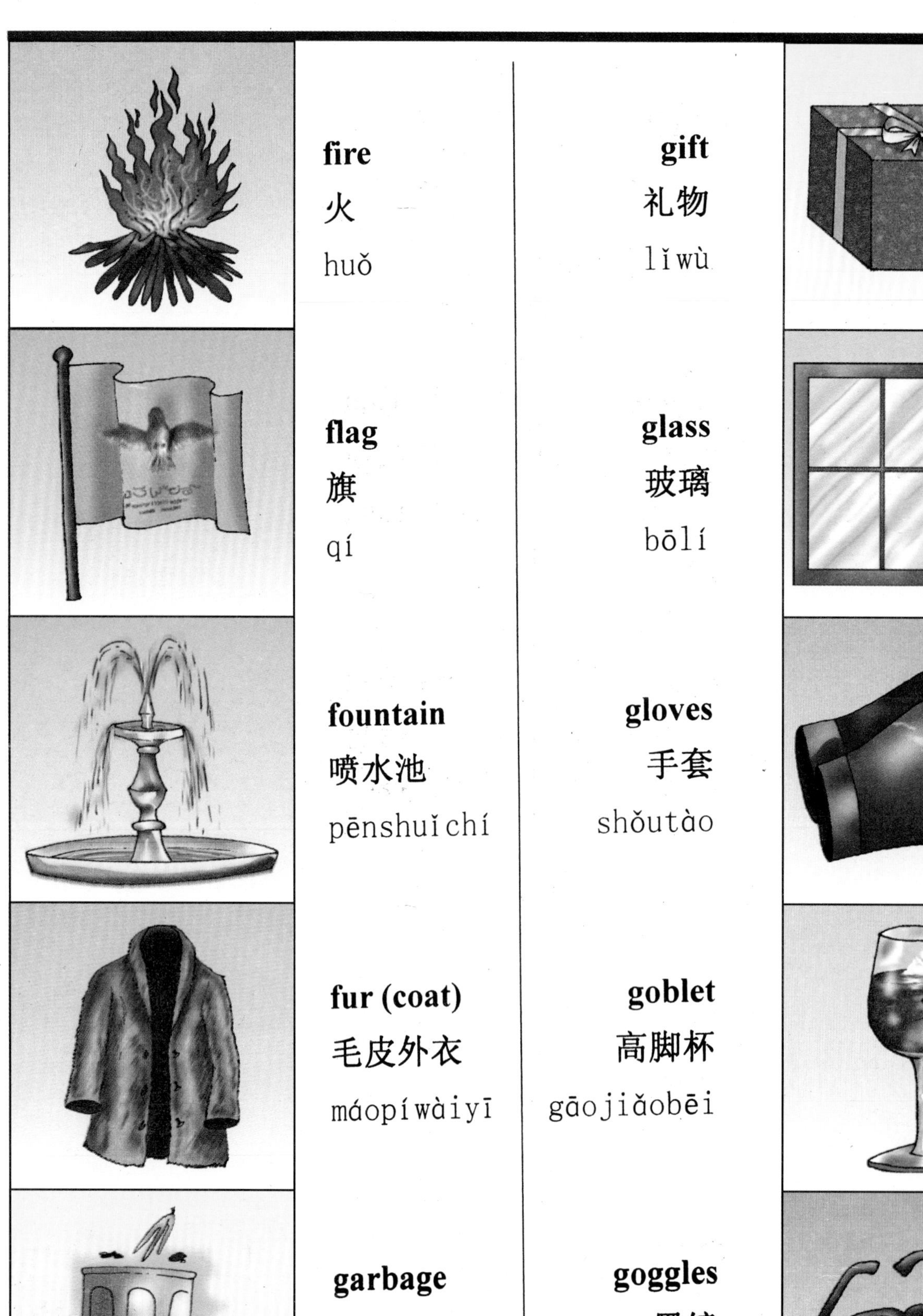

fire
火
huǒ

flag
旗
qí

fountain
喷水池
pēnshuǐchí

fur (coat)
毛皮外衣
máopíwàiyī

garbage
垃圾
lājī

gift
礼物
lǐwù

glass
玻璃
bōlí

gloves
手套
shǒutào

goblet
高脚杯
gāojiǎobēi

goggles
墨镜
mòjìng

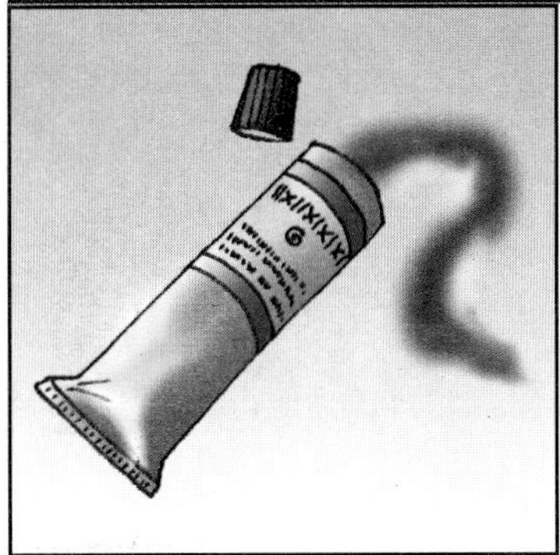

gum/glue
胶水
jiāoshuǐ

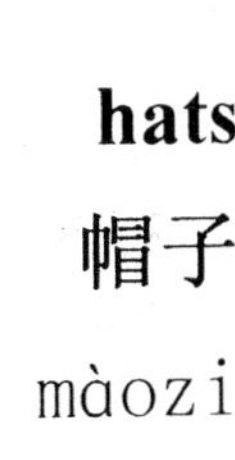

hats
帽子
màozi

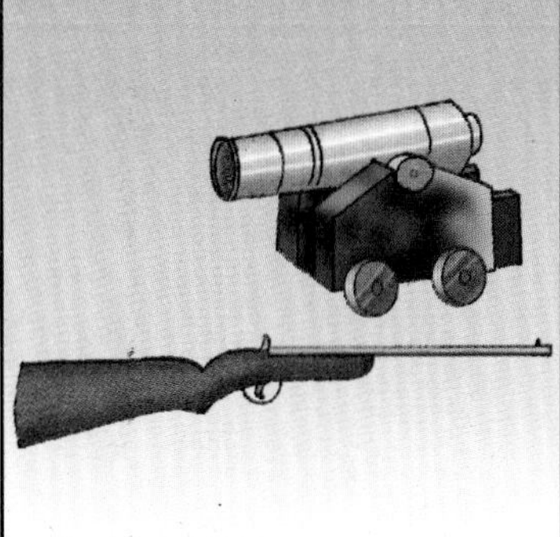

guns
枪炮
qiāngpào

helmet
头盔
tóukuī

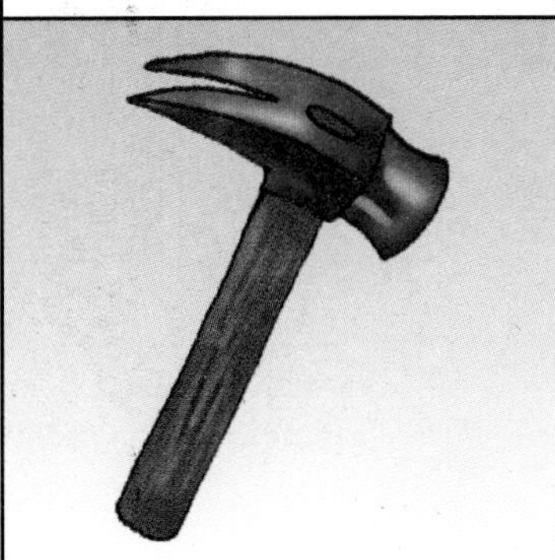

hammer
锤子
chuízi

ink
墨水
mòshuǐ

handkerchief
手帕
shǒupà

ivory
象牙
xiàngyá

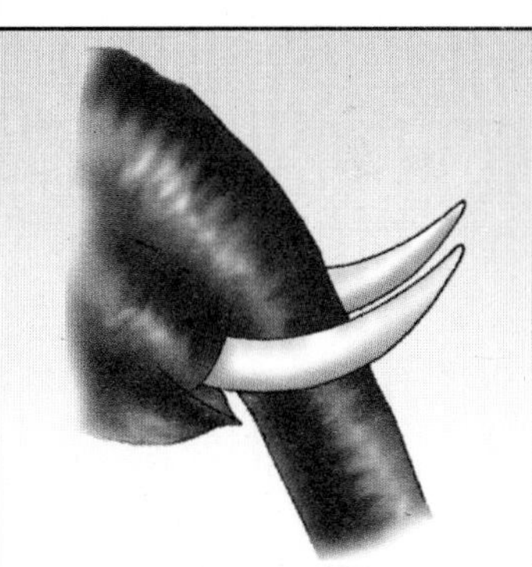

handle
把柄
bǎbǐng

jar
广口瓶
guǎngkǒupíng

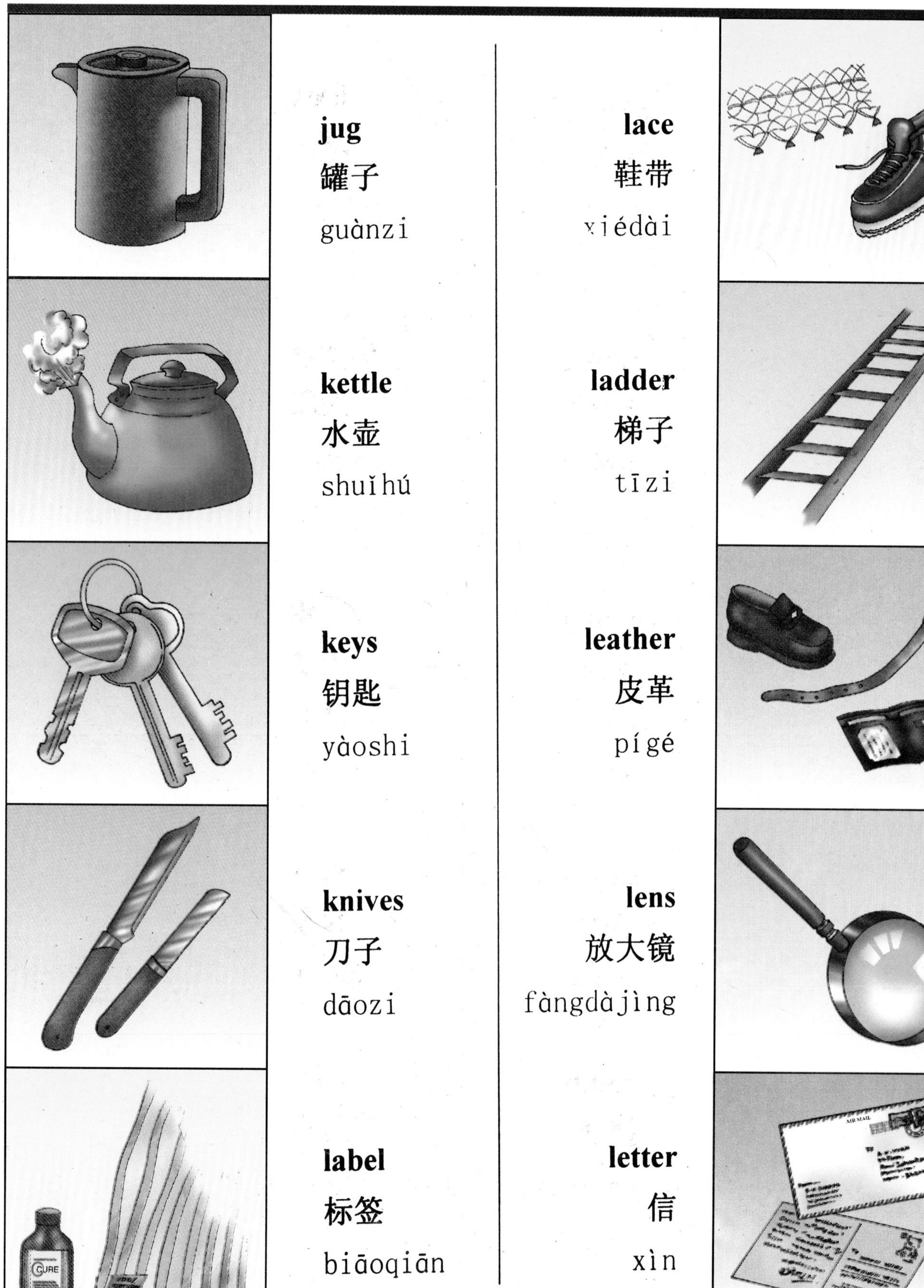

jug
罐子
guànzi

kettle
水壶
shuǐhú

keys
钥匙
yàoshi

knives
刀子
dāozi

label
标签
biāoqiān

lace
鞋带
xiédài

ladder
梯子
tīzi

leather
皮革
pígé

lens
放大镜
fàngdàjìng

letter
信
xìn

lock
锁
suǒ

mirror
镜子
jìngzi

luggage
行李
xíngli

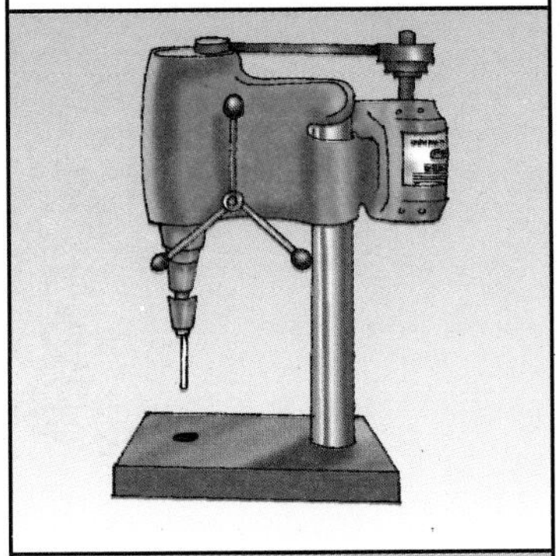

money
钱
qián

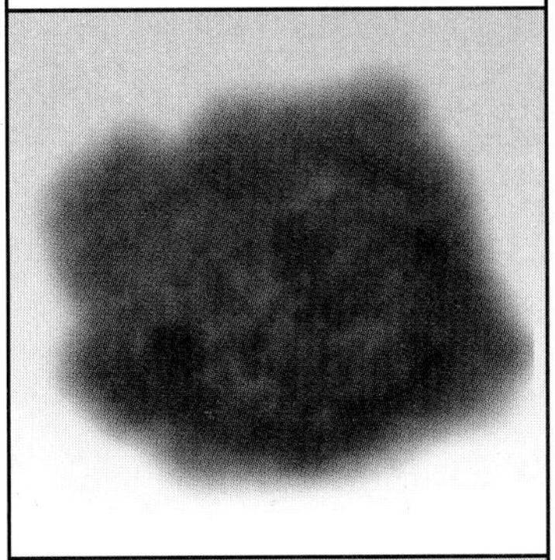

machine
机器
jīqì

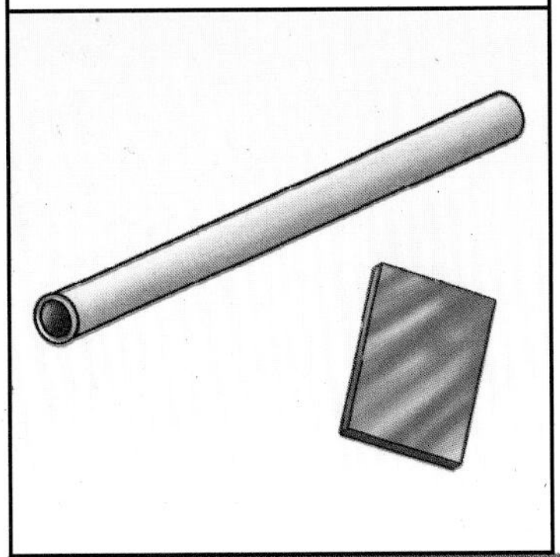

mud
污泥
wūní

mask
面具
miànjù

mug
杯子
bēizi

metal
金属
jīnshǔ

napkin
餐巾
cānjīn

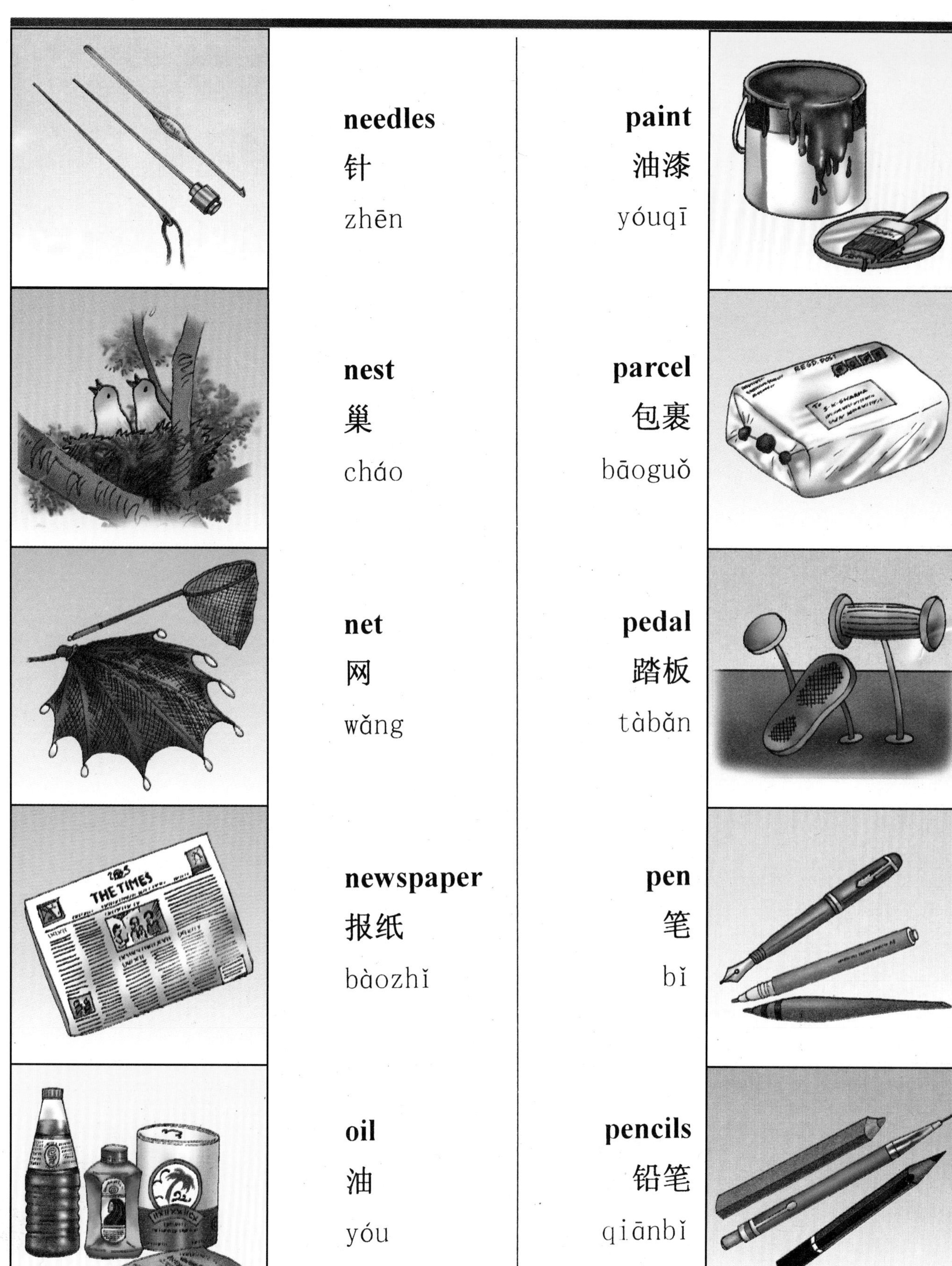

needles
针
zhēn

nest
巢
cháo

net
网
wǎng

newspaper
报纸
bàozhǐ

oil
油
yóu

paint
油漆
yóuqī

parcel
包裹
bāoguǒ

pedal
踏板
tàbǎn

pen
笔
bǐ

pencils
铅笔
qiānbǐ

perfume
香水
xiāngshuǐ

plate
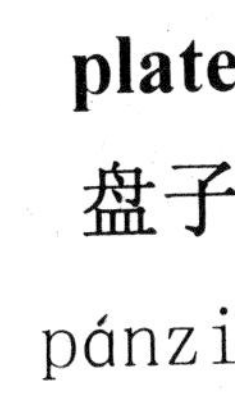
盘子
pánzi

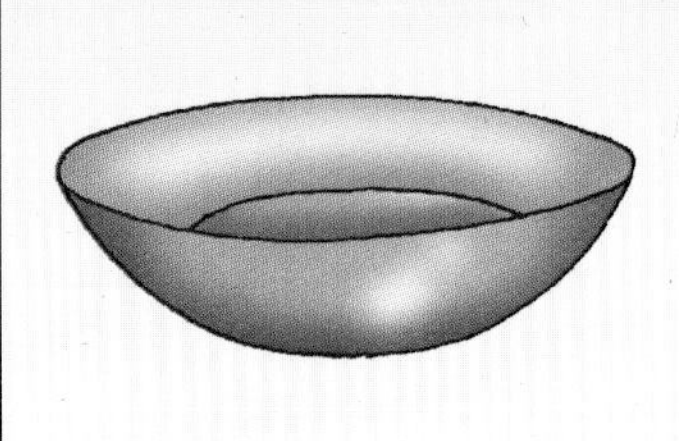

photograph
相片
xiàngpiàn

pot
罐
guàn

painting
画
huà

powder/ talcum
粉
fěn

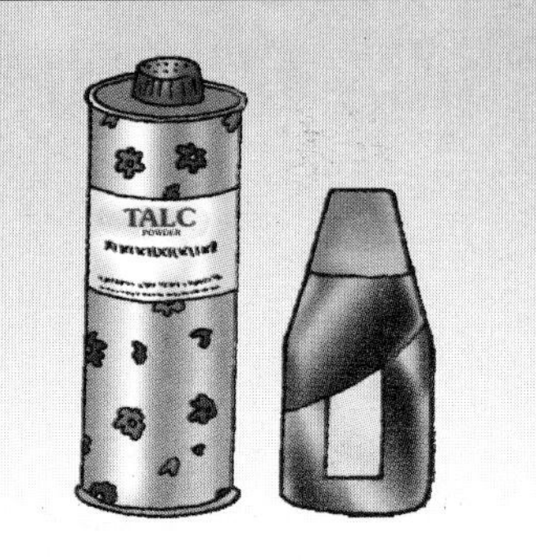

pillows
枕头
zhěntóu

pump
打气筒/泵
dǎqìtǒng/ bèng

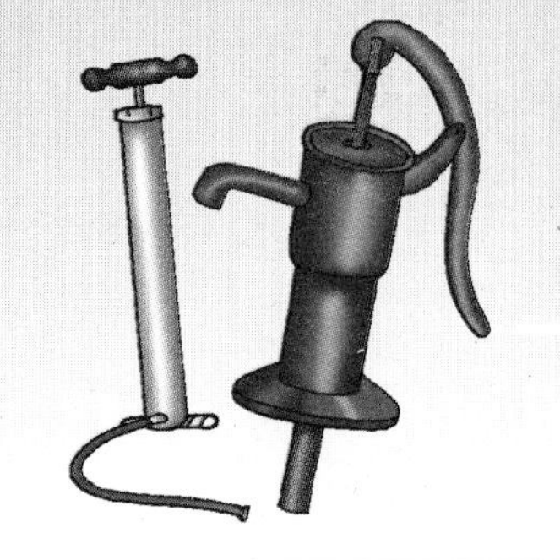

pistol
手枪
shǒuqiāng

purse
钱包
qiánbāo

quilt
被子
bèizi

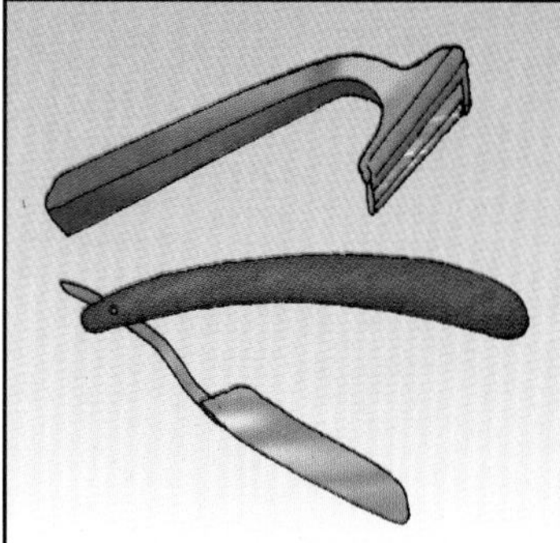

razors
剃刀
tìdāo

refrigerator
电冰箱
diànbīng-
xiāng

register
登记本
dēngjìběn

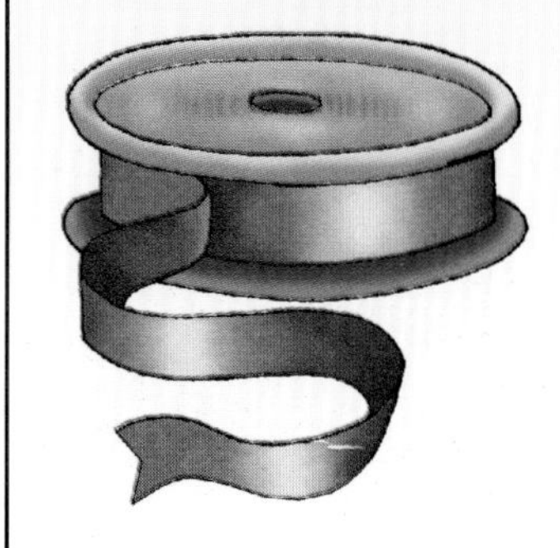

ribbon
彩带
cǎidài

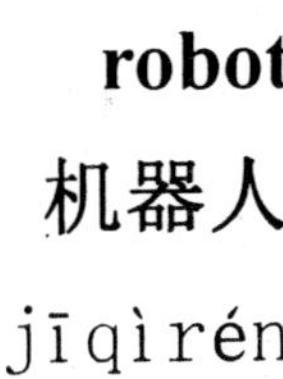

robot
机器人
jīqìrén

roll
卷
juǎn

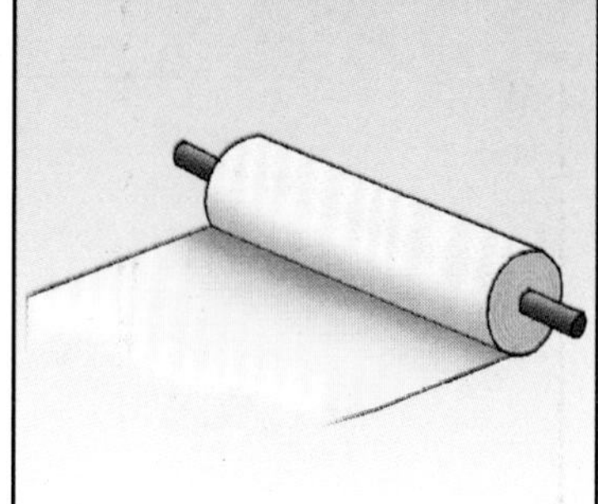

rope
绳
shéng

sacks
口袋
kǒudài

saw
锯
jù

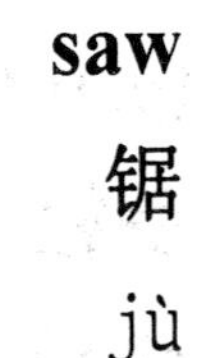

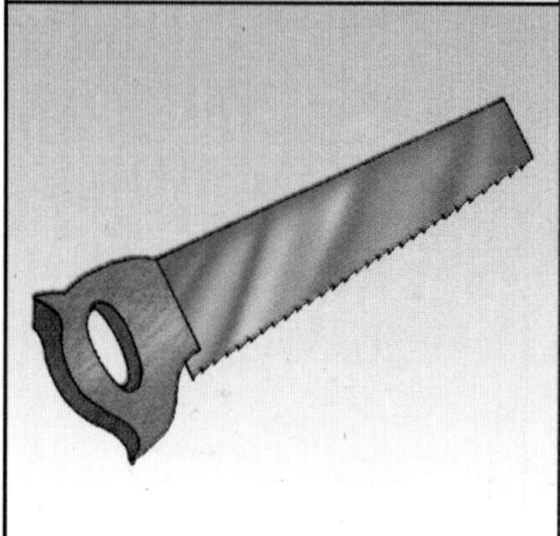

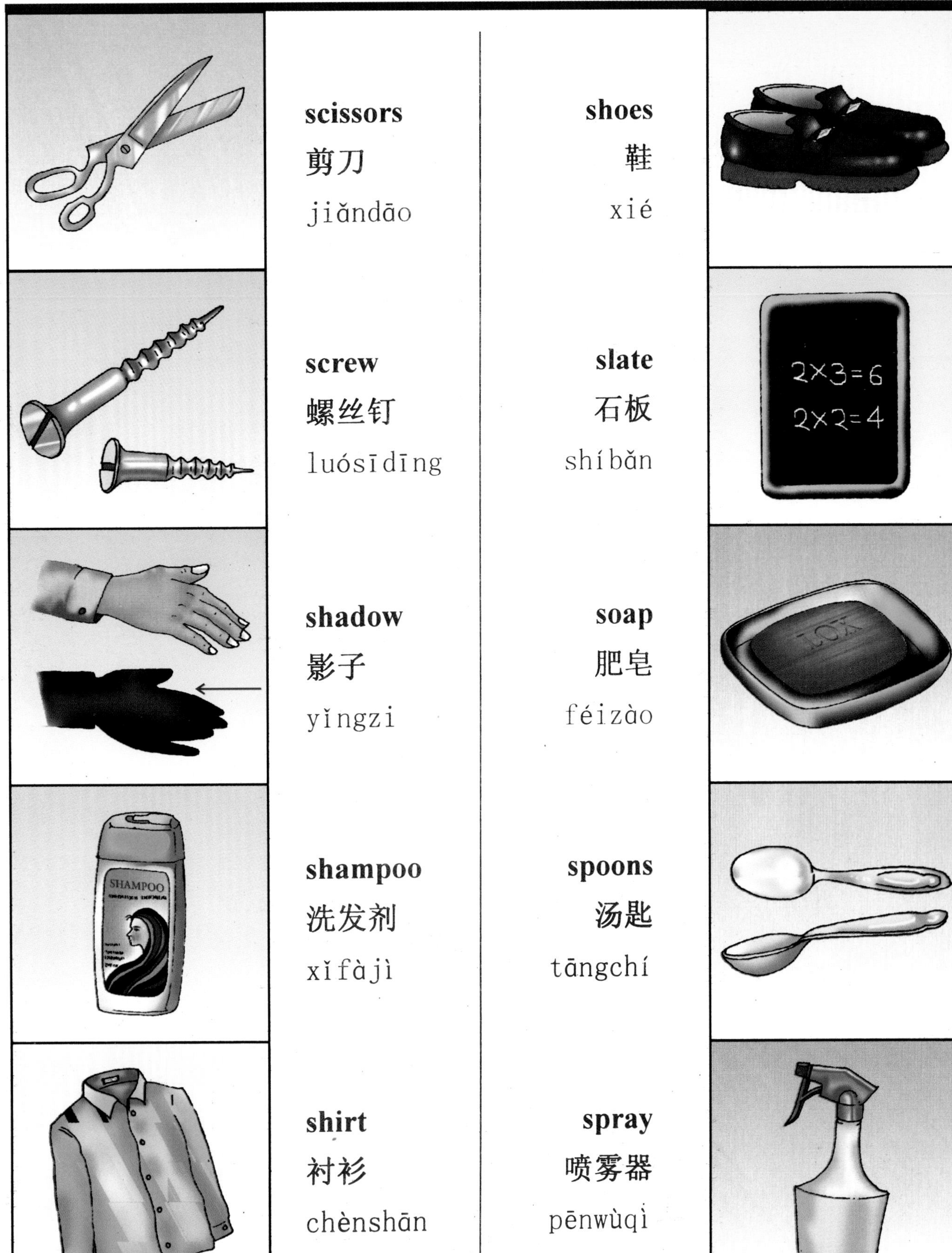

scissors
剪刀
jiǎndāo

screw
螺丝钉
luósīdīng

shadow
影子
yǐngzi

shampoo
洗发剂
xǐfàjì

shirt
衬衫
chènshān

shoes
鞋
xié

slate
石板
shíbǎn

soap
肥皂
féizào

spoons
汤匙
tāngchí

spray
喷雾器
pēnwùqì

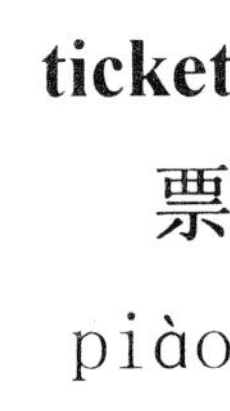

statue
塑像
sùxiàng

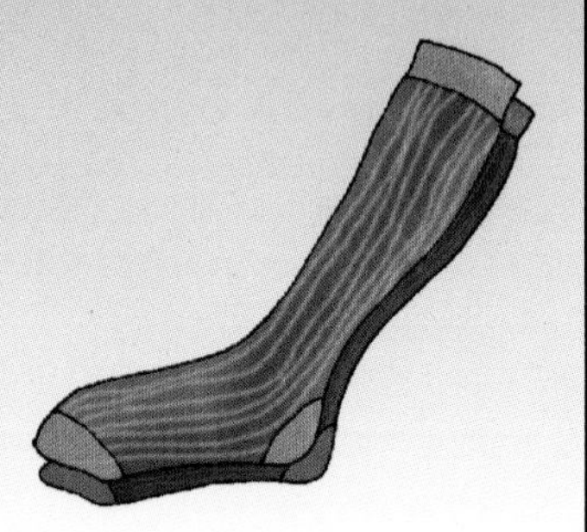

stethoscope
听筒
tīngtǒng

sock
长袜
chángwà

teapot
茶壶
cháhú

thread
线
xiàn

ticket
票
piào

timber
木材
mùcái

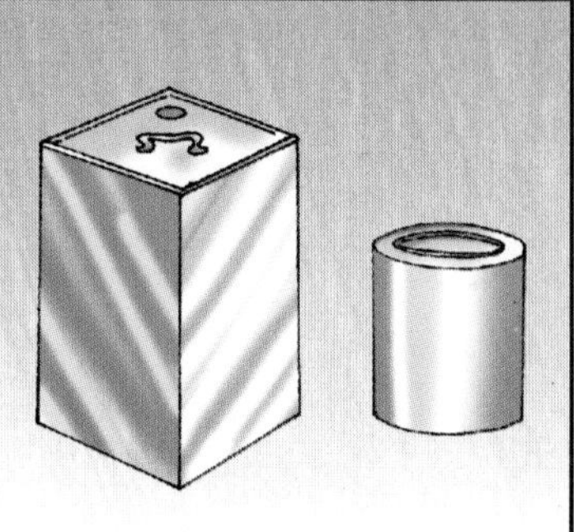

tins
罐头
guàntou

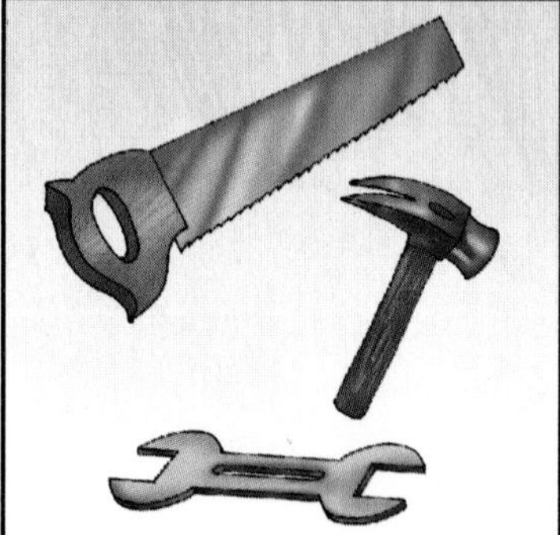

tools
工具
gōngjù

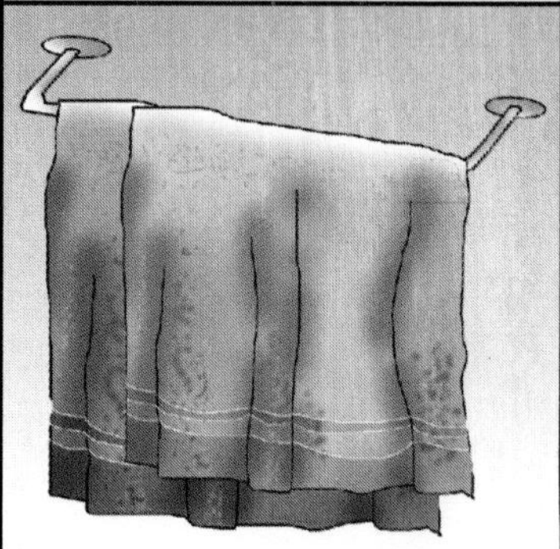

towel
毛巾
máojīn

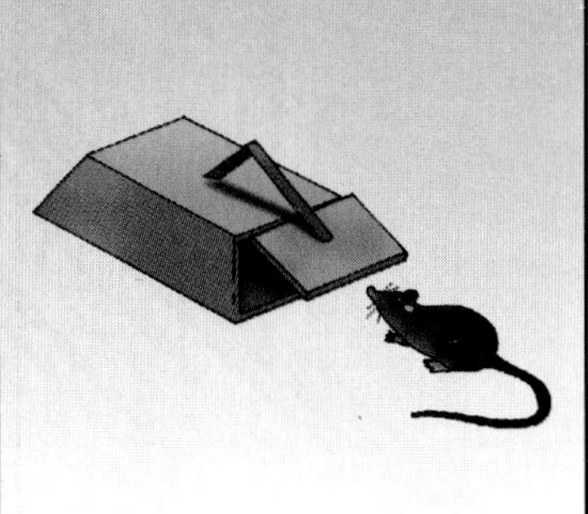

mousetrap
老鼠夹
lǎoshǔjiā

tray
托盘
tuōpán

treasure
财宝
cáibǎo

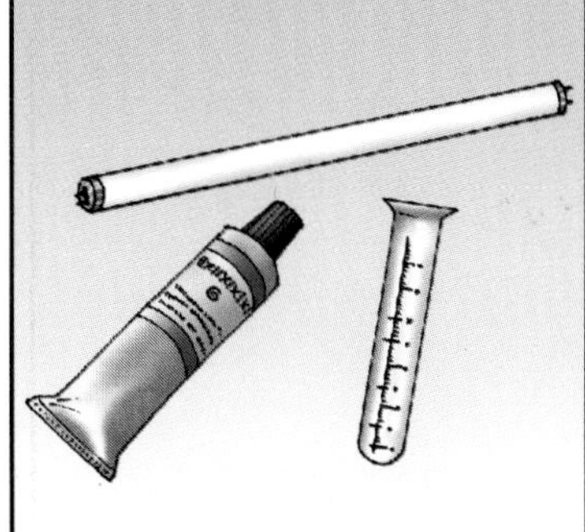

tubes
管
guǎn

turban
头巾
tóujīn

typewriter
打字机
dǎzìjī

umbrella
雨伞
yǔsǎn

utensils
家什
jiāshi

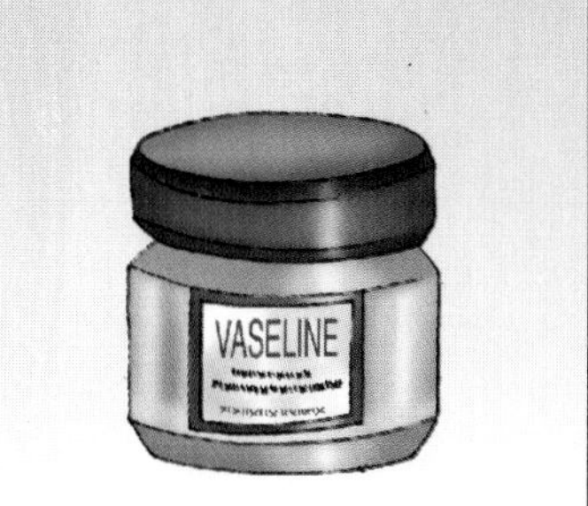

vaseline
凡士林
fánshìlín

vault
金库
jīnkù

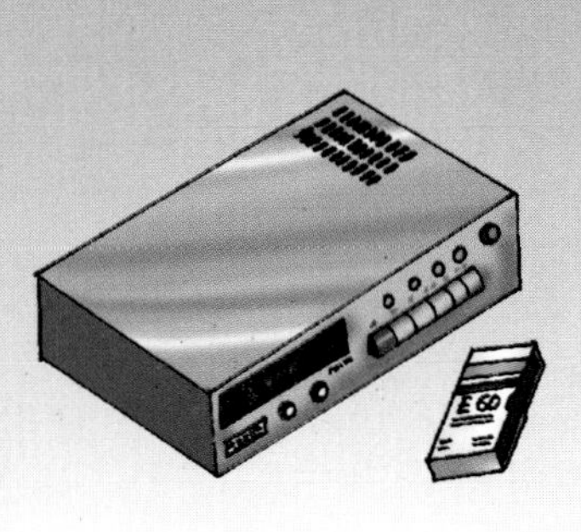

video machine
录像机
lùxiàngjī

wallet
皮夹子
píjiāzi

washing machine
洗衣机
xǐyījī

watch
手表
shǒubiǎo

weapons
武器
wǔqì

web
蜘蛛网
zhīzhūwǎng

wings
翅膀/翼
chìbǎng/yì

whistles
哨子
shàozi

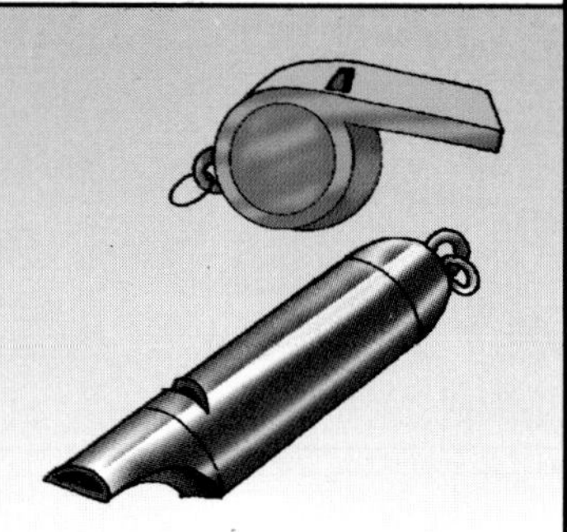

wool
毛线
máoxiàn

zipper
拉链
lāliàn

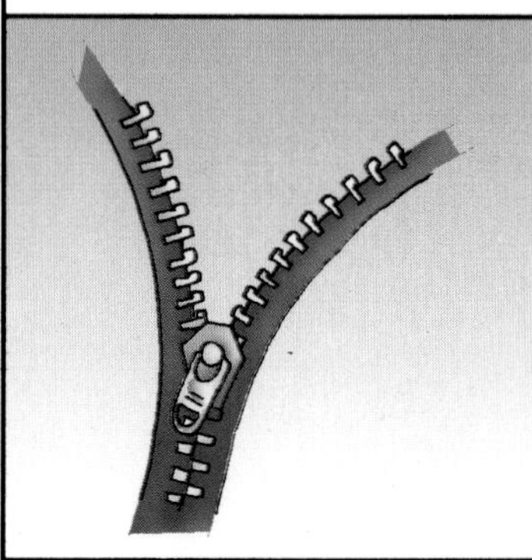